Yr Alarch Du

RHIANNON WYN

y Lolfa

I Pete

Argraffiad cyntaf: 2011

© Hawlfraint Rhiannon Wyn a'r Lolfa Cyf., 2011

Mae hawlfraint ar gynnwys y llyfr hwn ac mae'n anghyfreithlon
i lungopïo neu atgynhyrchu unrhyw ran ohono trwy unrhyw
ddull ac at unrhyw bwrpas (ar wahân i adolygu) heb gytundeb
ysgrifenedig y cyhoeddwyr ymlaen llaw

Comisiynwyd y gyfrol hon gyda chymorth ariannol Adran Plant,
Addysg, Dysgu Gydol Oes a Sgiliau

Cynllun y clawr: Rhys Huws

Rhif Llyfr Rhyngwladol: 978 1 84771 361 2

Cyhoeddwyd ac argraffwyd yng Nghymru
gan Y Lolfa Cyf., Talybont, Ceredigion SY24 5HE
gwefan www.ylolfa.com
e-bost ylolfa@ylolfa.com
ffôn 01970 832 304
ffacs 832 782

Synchronicity – 'The temporally coincident occurrences of acausal events.'

C.G. JUNG

'Either we live by accident and die by accident, or we live by plan and die by plan.'

THORNTON WILDER,
THE BRIDGE OF SAN LUIS REY

Y CASTELL

Welais i neb yr un fath â phobl am ofyn cwestiynau. O'r plentyn chwilfrydig i'r hen ddynes â'i ffrâm gerdded, mae yna ryw awydd mewn pobl i fod eisiau holi. Ac os oes yna un peth rydw i wedi'i ddysgu, mae pobl yn hoffi deall: deall pam bod du yn ddu, a gwyn yn wyn. Yr awydd i ddeall pethau sy'n gyfrifol am esblygiad dyn: pan oedd yr epa eisiau gweld ymhellach mi gododd ar ei draed ôl. Addasu i fedru deall. A datblygu iaith i fedru cyfathrebu ac egluro pethau. Ond sut buasai unrhyw un yn medru egluro be ddigwyddodd ar y diwrnod hwnnw, prynhawn ola'r ffair, yn haul diog mis Tachwedd?

Rydw i'n gwybod yn iawn fod hanes – er ei fod yn cael ei ysgrifennu mewn du a gwyn – yn llawn llwyd. Felly, i raddau, mae'n hanes innau. Mae wastad wedi bod yn llwydaidd, pwy bynnag sy'n berchen arna i. Rydw i'n ddarostyngiad neu'n ddathliad, yn ddibynnol ar bwy sy'n ateb y cwestiwn. Yn llwyd mwy du neu'n llwyd mwy gwyn, gan ddibynnu ar balet yr arlunydd.

Ond pa mor llwyd bynnag ydi'n symboliaeth i, ni all neb wadu fy mhresenoldeb. O'm corun ar Dŵr yr Eryr hyd at y llenfuriau sy'n disgyn wrth fy nhraed, rydw i'n treulio pob eiliad o bob dydd yn edrych. O'r Tŵr i'r dŵr ac yn gylch yr holl ffordd i'r Maes. Yn amddiffynfa rhag unrhyw fygythiad. Yn gawr consentrig a digyfaddawd. Yn gwylio...

Efallai fod golwg gadarn, bron yn anorchfygol arna i.

Ond a bod yn onest, tydw i erioed wedi gorfod amddiffyn fy hun. Tydw i erioed wedi gorfod dangos fy nghymeriad. Wedyn does ryfedd nad ydi pobl yn gwybod be i'w wneud ohona i. Ond maen nhw'n chwilfrydig. Mae yna hanes a chyfrinachau yn sibrwd yn yr heddwch sinistr sy'n perthyn i mi. Rydw i'n fwy na swp o gerrig y tu cefn i elyrch gwyn ar gardiau post.

Fel finnau, mae'r da a'r drwg mewn pobl: yn llinynnau o dywyllwch a goleuni, yn blethwaith o ddu a gwyn yn gwrthdaro'n ddyddiol yn erbyn ei gilydd. Ond y cwestiwn ydi ai anian yntau amgylchiadau sy'n gorchfygu yn y diwedd? Ydi greddf yn gryfach na'r meithrin sydd wedi bod arni? Neu ydi ffawd wedi penderfynu'r cyfan cyn i unrhyw beth ddigwydd?

O'r hyn wela i, mae pobl yn gwneud miloedd o benderfyniadau bob eiliad o'u bywydau. Ac mae pob un o'r penderfyniadau hynny yn arwain at gadwyn o benderfyniadau eraill. Mae deddfau ffiseg yn dweud bod 'achos' yn arwain at 'effaith'. Mecaneg cwantwm maen nhw'n ei alw: un peth yn deillio'n uniongyrchol o'r llall. Ffawd mae eraill yn ei alw. Un eiliad yn arwain, yn anochel efallai, at y llall.

Ond mae rhai eiliadau yn fwy arwyddocaol na'i gilydd. Ac mae arwyddocâd eiliad yn dibynnu ar bwy sy'n adrodd y stori. Beth sy'n tynnu casgliad o bobl at ei gilydd i union 'run lle, yn union 'run pryd? Weithiau, mae un eiliad yn bwysig i fwy nag un person oherwydd bod eu bywydau wedi arwain yn gydamserol at yr un eiliad honno.

Dyna oedd hanes y prynhawn hwnnw: mi welais

i'r cyfan yn tarfu ar ddarlun cerdyn post yn niwedd mis Tachwedd. Pedwar bywyd mewn pedwar diwrnod wedi'u huno am byth. Un eiliad, un castell, un alarch ac un corff.

MATHEW

Dydd Gwener

Roedd o i fod yn arwydd o lwc dda. Ond doedd Mathew ddim yn teimlo'n lwcus pan ddigwyddodd o. Lwc mul, dybiai o.

Wrthi'n betio pwy oedd yn mynd i fachu yn y ffair roedd gweddill criw'r band pan ddigwyddodd o.

'Ma genod wastad yn gwirioni efo hogia mewn band, tydyn?' cwynodd Rhys, eu ffan 'mwyaf' o ran chwaeth a chorff. 'Felly ma sens yn deud mai Cai neu Mathew fydd yn ennill.'

'Dylsa chdi fod 'di sticio at dy wersi piano, yli,' meddai Cai, yn dal i wisgo cymeradwyaeth ei ffans yn gôt hyderus amdano'i hun.

Fel prif leisydd y band, fo oedd ar frig y siart fachu. Anadlodd anadl iach o heli'r cei, cyn tanio sigarét arall, a syllu'n ystyriol i weld a oedd unrhyw ferched o gwmpas o fewn ei radar concwestiol.

Cofiai Mathew iddo wenu, yn ddigon hapus i wrando ar y criw, heb wneud fawr o ymdrech i ymuno yn eu malu awyr. Roedd o'n ddigon hapus i sefyll yn y cefndir, fel y gwnâi yn y band. Yn ddigon hapus i guddio y tu ôl i'r lleill, fel roedd o mewn gwirionedd yn cuddio y tu ôl i'w wallt. Ond am ryw reswm, byddai merched yn hoffi ei ddistawrwydd enigmataidd. Ac eithrio rhai pethau, roedd bywyd yn reit hawdd i Mathew. Cymerodd swig o'i beint, cyn eistedd ar wal y cei yn gwylio alarch â'i ben-ôl i fyny yn y dŵr. Wrthi'n plymio am fwyd roedd o, pan laniodd yr anrheg annisgwyl gan ffrind pluog arall ar Mathew a honno'n union uwch ei ben. Lwc dda, wir.

'Plop!'

Mae'n rhaid bod gan yr wylan annel anhygoel, meddyliodd. Roedd yn rhaid i Mathew gyfaddef hynny: roedd yn dwmpath gwerth chweil. Tybiodd fod y diawl wedi bod yn bwyta sothach yn y ffair drwy'r dydd ac wedi cadw'i lwyth ar gyfer y foment pan oedd o'n hedfan reit uwch ei ben o. Gwelodd fod y crynhoad mwyaf wedi disgyn ar ei wallt er bod digon dros ben i lanio ar ei gôt a'i law.

'Pa ha ha ha! Sbia golwg!' meddai Rhys, gan bwyntio'i fys at ysgwydd Mathew, yn union fel roedd yr wylan wedi pwyntio ei phen-ôl.

'Pwo, ma'n drewi 'fyd!' Symudodd Cai i ffwrdd gan gyfogi o weld mor helaeth roedd y llwyth. 'Be o'dd o, *ostrich*?!'

'*Pterodactyl* 'swn i'n deud!' chwarddodd Rhys.

'Neu lond UFO o *aliens* hefo salmonela!' ymunodd Cai.

'Ych! Mae o yn 'y mheint i hyd yn oed,' poerodd Mathew, yn llawn cywilydd.

'Newydd brynu fo ydw i. Ma'n hannar llawn!' ychwanegodd Rhys, yn crychu ei drwyn.

'Hannar gwag, ia?' cynigiodd Cai.

'Ma Bill Cosby yn deud ei bod hi'n dibynnu os mai tollti 'ta yfed w't ti,' meddai Mathew, yn gwenu o weld criw o genod yn pwyntio a chwerthin ar ei ben.

''Nath o 'rioed ga'l cachu deryn yn ei beint, ma'n siŵr!' Pwniodd Cai ei ysgwydd.

'Pwy sy'n mynd i ga'l un arall tra dw i'n mynd i folchi?' holodd Mathew gan grychu ei drwyn.

Edrychodd Rhys ar Cai yn awgrymog. Cododd hwnnw'n ddiog ac yn cŵl.

'Be o'dd y tebygolrwydd i hynna ddigwydd? Newydd ddod allan ydan ni,' cwynodd Mathew wrth gerdded i glydwch y dafarn.

'Ffawd, yli,' meddai Cai, wrth gydgerdded ag o. 'Isio i fi ennill y *cop-off chart*!'

*

Roedd crys Mathew o dan y sychwr pan deimlodd bresenoldeb slei y tu ôl iddo.

'Stripio w't ti?' cynigiodd y llais.

Dychrynodd wrth weld ei hadlewyrchiad yn y drych. Yna gwenodd wrth ei hadnabod.

'Sbio w't ti?' awgrymodd yntau.

'Roedd 'na giw yn toilets y genod,' meddai Lara.

Roedd ei llygaid yn drwm gan ddüwch ei cholur ac roedden nhw'n ei astudio'n fanwl, cyn oedi ar ei lygaid nerfus o.

'Oedda chdi'n sbio gynna hefyd... wrth ddawnsio.' Cofiodd Mathew ei gweld yng nghanol y dorf.

'Dw i'n sbio ar lot o bobol,' meddai hithau ychydig bach yn sych.

Teimlodd yn rêl ffŵl yn fwyaf sydyn.

'Wyt, ma'n siŵr...'

'Wyt ti *isio* i fi sbio arna chdi?' heriodd Lara.

'Ym. Na. Dim pan ma gen i gachu gwylan ar 'y ngôt.'

'Fod yn arwydd o lwc dda.'

'Dyna ma'n nhw'n deud, er dw i'm yn siŵr iawn pwy ydi'r 'nhw' 'ma, chwaith.'

'Ar y gôt newydd, 'fyd?' chwarddodd hithau.

'Ia,' meddai yntau, gan nodi ei bod wedi astudio ei wardrob.

'Ti'm 'di torri mewn iddi eto,' ychwanegodd hithau, fel petai'n trio egluro'i sylwgarwch.

Gwichiodd y lledr yn anghyfforddus, fel ei pherchennog.

'A ma dy wallt di'n sticio i fyny yn y cefn ' ychwanegodd Lara.

'Lle?' Byseddodd ei wallt yn wyllt.

'Ma'n siwtio chdi – chydig bach yn flêr...'

Gyda hynny, gadawodd Lara, yn hunanfeddiannol. Damniodd Mathew ei ddiffyg geiriau yn ei bresenoldeb. Pam oedd yn rhaid iddi hi o bawb ei weld o efo cwiff ac olion pen-ôl gwylan yn ci wallt? A pham roedd o'n mynnu colli ei cŵl ar adegau tyngedfennol fel hyn? Gobeithiai nad oedd hi wedi sylwi. Ond roedd hi fel petasai'n sylwi ar bob dim. Roedd o wedi sylwi arni'n edrych arno fo yn yr ysgol hefyd. Byth ers iddi gyrraedd y gwersi Saesneg flwyddyn yn ôl. Edrychodd yn y drych. Roedd ar fin tacluso'i wallt pan ailystyriodd, a gadael y cudyn gwyllt i'w dynged el hun.

*

Safai Lara yn ymyl Cai wrth y bar pan gerddodd Mathew allan. Roedd Cai'n dychmygu ei enw mewn neon ar frig y siart fachu pan ymunodd Mathew â nhw.

'Ma'r teimlad pan ti'n gorffen canu a chl'wad pobl yn clapio, wel...' tynnodd Cai y gwynt trwy'i ddannedd i ddangos ei fod yn berson llawn hyder.

'Ugian o bobol mewn bar!' chwarddodd hitha. 'Doeddan nhw ond yn clapio am fod y *jukebox* 'di torri!'

'Dyma fo, Mr Pwpdepants!' gwaeddodd Cai, mewn ymdrech i symud y sylw o'i gywilydd ei hun.

Gwgodd Mathew. Gwenodd Cai. A Lara. Roedd edrych arni'n brifo. Roedd hi'n wahanol i'r merched eraill â'u hiwnifform rywiol-amlwg o sgertiau byr a gwalltiau hir, unffurf. Tasai rhywun arall yn gwisgo'r cyfuniad dillad a wisgai hi, bydden nhw'n edrych fel tasai siop elusen wedi ymosod arnyn nhw. Ond roedd sicrwydd yn ei cherddediad a swae yn ei chluniau wrth gerdded i ffwrdd.

'Welis di'r tits 'na arni?' meddai Cai a'i lygaid yn gwenu'n ddireidus.

Cododd Mathew ei aeliau: fedrai o ddim egluro pam ond roedd yn anghyfforddus wrth glywed sylw'i fêt.

'Ma hi 'di bod yn cuddio rheina yn rysgol, do? Biti am hon, 'fyd,' chwarddodd Cai, gan wneud siâp ceg yn agor a chau â'i law.

Cymerodd hi beth amser iddo sylwi ar y diffyg ymateb i'w fonolog.

'Pam ti mor ddistaw?' brathodd Cai, cyn dilyn llygaid

Mathew. A gwelodd Mathew y cogs rhydlyd yn troi yn ymennydd ei ffrind.

'O, ia?' dawnsiodd ael Cai yn awgrymog. 'Ffansïo *ex* Daniel Morris...' Nodiodd a gwenu. 'Ti'n foi fwy sadistig na fi, ma'n rhaid.'

Ella wir, ystyriodd Mathew. Ond doedd gan Mathew ddim diddordeb mewn rhywun oedd yn awtomaton. Hoffai'r teimlad anghyffordddus, nerfus a gâi yng nghwmni Lara. Yn wahanol i Cai, roedd o'n hoffi'r geg a oedd mor barod i ateb yn ôl. Roedd rhywbeth amdani, rhyw gyfuniad perffaith o rew a thân: yn ei gynhyrfu a'i doddi ar yr un pryd.

'Tydi hi mo 'nheip i,' ychwanegodd Cai, cyn dal llygad merch felynwallt, eiddgar ym mhen arall y bar. 'Gormod o waith.' Pasiodd Cai y peint i Mathew. 'Yfa hwnna a stopia ddriblo.'

Gwenodd Mathew'n ddiolchgar, cyn gwylio'i ffrind yn sgwario'n hyderus i gyfeiriad y ferch benfelen.

Rai peintiau yn ddiweddarach, roedden nhw'n croesi'r bont dros yr aber, ac yn nesáu at oleuadau croesawgar y ffair. Byddai Mathew yn mwynhau'r oriau ar ôl perfformio gyda'r band, a'i gorff yn gyfuniad o adrenalin a rhyddhad. Bellach roedd yr alcohol wedi pylu ei nerfau, a'i ben yn nofio'n felfedaidd yn ei feddwdod, fel petasai wedi naddu'r holl frychau o'i olwyn ddychmygol.

'Gin i deimlad da am heno, hogia!' meddai Cai, gan dynnu ei hun o freichiau'i fachiad a dechrau dawnsio i guriadau egsotig y ffair. Ymunodd hithau yn ei ddawns, cyn i'r ddau aros yn eu hunfan i snogio.

'Symud o'r ffordd!' brathodd Mathew.

'Pwy sy'n pricli am fod deryn 'di dympio ar 'i ben o?' Taenodd Cai ei law trwy ei wallt yn nawddoglyd, cyn taflu'i botel wag i'r aber oddi tano.

Cyn gynted ag y cyraeddasant yr ochr draw, meddiannwyd eu synhwyrau gan gyffro a gwead ffantasïol y ffair. Gwelodd Mathew gorun arwydd y Sizzler Twist yn troi un ffordd, y Gravitron yn troi'r ffordd arall. Wrth ddringo'r grisiau i'r safle, llanwodd ei ben â rhythmau gwrthgyferbyniol y gerddoriaeth a sgrechian aflafar reid ar ôl reid o eneidiau anturus. Roedden nhw'n chwrligwgan lliwgar ar y llygaid, a'r mwg melys a sawrus yn llenwi eu stumogau.

Wrth iddyn nhw ymlwybro i'w canol, heibio'r stondinau cŵn poeth, candi fflos, pitsa, popcorn, lolipops a chreision, roedd y gwerthwyr i gyd yn ceisio eu hudo. Yn ceisio eu denu i brynu. Yn stribed di-ben-draw o demtasiynau. Pawb eisiau cwsmeriaid. Eisiau arian. Yn cosi eu ffansi.

'Oi! Pa un w't ti'n 'i ffansïo?' holodd Rhys wrth weld criw o ffrindiau bachiad Cai yn dal i'w dilyn.

Trodd Mathew i edrych yn ôl ar y merched a'u gweld yn gwenu'n orawyddus. Cododd ei ysgwyddau'n ddi-hid.

'Dewis di, mêt.'

Gwelsant Cai yn cilio y tu ôl i stondin i agor y poteli cwrw yn ei fag. Bu'n rhaid iddo ddefnyddio'i ddannedd, ar ôl rhegi am anghofio dod ag agorwr poteli.

'Arbad dy fîl dentist, yli. Dw i'n iawn am funud,' meddai Mathew.

'Ty'd 'laen. Be sy'n bod arna chdi?'

'Dw i'm isio meddwi'n wirion,' ychwanegodd.

Cododd Cai ei aeliau'n awgrymog ar Rhys, a hwnnw'n ei rybuddio â'i aeliau yntau i adael llonydd iddo.

'Fa'ma 'di'n lle ni, bois. Efo gwialen!' gwaeddodd Cai.

O'u blaenau, roedd stondin Hook a Duck, yn cynnwys pwll ac ynddo hwyaid melyn yn nofio yn y canol, a gwialennau pysgota'n hongian o'r to.

'Tri cynnig i fachu!' meddai Cai gan wincio ar Rhys a Mathew, wrth ddarllen yr arwydd.

'Ma raid i chdi ga'l llythyran o dan y chwadan,' meddai'r benfelen wrth Cai. 'M am Mai, gobeithio,'

'Dyna 'di dy enw di?' holodd Cai cyn pasio'r arian i'r stondinwr a derbyn ei wialen.

'Gêm plant bach ydi hi,' cynigiodd Rhys, wrth edrych draw tuag at y talaf o'r criw merched. Hon oedd ei darged o.

'Be, ofn colli w't ti?' heriodd Cai.

Roedd y sialens wedi'i gosod, a'r tri am y gorau i brofi eu testosteron. I gael brolio buddugoliaeth o flaen eu cynulleidfa fenywaidd.

'Dw i 'di ca'l un!' meddai Cai gan weiddi, a chodi'i hwyaden i'r awyr yn droffi melyn.

'Ha ha. Docs 'na'm llythyren odani!' atebodd Rhys gan chwerthin.

'O's 'na lythyren o dan unrhyw un?' holodd Cai wrth fachu un arall heb lwc.

'Ti ar 'i hôl hi, mêt!' broliodd Mathew, wrth godi'i ail hwyaden, a gweld bod y llythyren W oddi tani.

'W am wancar!' oedd ateb hwnnw.

Roedd Mathew eisoes wedi bachu F, ac ar fin ennill gwobr petai'n bachu llythyren arall.

'Amser ac amynedd sydd isio, bois,' meddai gan wenu'n ddistaw ond yn gystadleuol i gyfeiriad Cai.

Roedd Mathew wedi cael digon o ymarfer ar ei amynedd, gyda'i gefndir o.

''Di o'm 'di yfed gymaint â ni, nac'di? Sgynno fo'm *double vision.'*

A dyna Cai yn gwneud ei esgusodion arferol a'r cyfan am nad oedd Mathew yn colli rheolaeth wrth yfed a thynnu sylw ato'i hun fel y fo. Lle roedd Cai'n trio'i orau i ddangos pa mor feddw oedd o, roedd Mathew'n trio'i orau i ymddangos yn sobor. Roedd rhywbeth yn ei rwystro rhag ymgolli, yn wahanol i'w ffrindiau.

'Och! Ma 'na lwch ar un o'n lensys i,' cwynodd Rhys gan roi ei law dros un llygad fel môr-leidr.

'Ti'n methu gweld pan ti'n sobor, heb sôn am pan ti 'di meddwi!'

Gallai Mathew ddweud bod Cai wedi cael digon oherwydd roedd yn tanio sigarét arall tra gorffwysai ei wialen yn llipa yn erbyn y cownter.

'Cau *di* dy geg,' meddai Rhys wrth Cai. 'Bydd gen ti lais fatha *walrus* os 'nei di gario mlaen i smocio fel'na!'

'Awn ni ar un o'r reids? Bach mwy o wmff,' awgrymodd Cai wrth Mai.

'Ofn colli mae o,' gwenodd Rhys.

'Dw i 'di bachu'n barod, do?' meddai Cai, cyn gorffwys ei fraich yn ddiog ar ysgwydd Mai, a rhannu cusan hir â hi. Byddai'n 'laru'r un mor sydyn ag y byddai'n gwirioni. Gadawodd botelaid yn llawn o gwrw i Mathew. Roedd yn ddiafol ar ysgwydd ei fêt.

'Jyst rhag ofn,' meddai gyda winc, cyn diflannu i ganol y dorf.

Roedd y tân wedi diflannu o'r cystadlu heb Cai, yr arweinydd egnïol. O fewn ychydig eiliadau, roedd y genod yn sôn fod arnyn nhw isio mynd i'r tŷ bach.

'Ddo i efo chi,' meddai Rhys gan ostwng ei wialen a gobeithio cael gwell lwc gyda'r merched wrth eu dilyn i gyfeiriad y tŷ bach.

'Ddo i ar 'ych hola chi!' gwaeddodd Mathew, cyn chwerthin wrth weld Rhys yn brysio'n dinfain y tu ôl i'r genod.

Roedd yn gas ganddo adael tasg ar ei hanner a chan fod y botel o'i flaen roedd yn amhosib iddo wrthod cymryd un swig arall. Drachtiodd yn helaeth ohoni, cyn hoelio'i lygaid ar hwyaden oedd yn nofio at ochr y pwll. Roedd crych canolbwyntio ar ei aeliau pan welodd ffigwr du'n gorffwys â'i chefn at y cownter gerllaw. Cymerodd swig arall o'i botel gwrw, mewn diflastod yn fwy na dim arall. Yna clywodd sibrwd yn ei glust:

'Mi fydd petha'n newid yn fuan,' meddai'r ffigwr du.

Trodd i edrych ar y ddynes ryfedd: fel rhyw ddewines ddu, ei chroen yn wyn a'i gwefusau'n goch deniadol. Roedd hi'n drawiadol o fonocromatig yng nghanol enfys y ffair a'i phobol.

'Ma'r cliwia yna i ti. Arwyddion o be sy'n mynd i ddigwydd...'

'Dw i'n brysur rŵan, sori.' Ceisiodd ei hanwybyddu, gan regi'r lleill am ei adael yn agored i rywun yn mwydro fel hon.

'Ti'n hawdd iawn dy ddarllan,' meddai gan wenu.

'E?'

'Mi gei di dy lythyren. Paid â phoeni. Dewr a di-ofn... Aries, ella?' meddai'r llais hudolus, cyfareddol.

'Medda pwy?'

'Fi.'

Sut gwyddai hi pa arwydd sodiac oedd o? A sut gwyddai hi ei fod am fachu hwyaden a hithau â'i chefn at y cyfan? Dim ond un cyfle oedd ganddo ar ôl ac roedd hi'n mynnu amharu arno. Medrai synhwyro ei llygaid arno. Bron nad oedd hi'n gwneud ei gorau i dynnu'i sylw.

'Dim ond gobeithio y cei di heddwch...' meddai'r llais gan darfu arno unwaith yn rhagor.

Roedd o'n dechrau amau ei bod yn rhan o ryw gynllwyn i amharu ar ei fuddugoliaeth. Wrth drio canolbwyntio'n rhy galed, roedd yn fwy hunanymwybodol nag erioed.

'Ti'n debyg i rywun. I dy dad, ella?'

'Pwy ddiawl ydach chi?' holodd, heb dynnu'i lygaid oddi ar y fodrwy ar flaen ei wialen.

'Fi?' meddai hi, unwaith eto dan chwerthin.

Bachodd yr hwyaden. Erbyn iddo edrych i'w chyfeiriad, roedd y ddynes wedi diflannu. Trodd Mathew'r hwyaden ar ei hochr a gweld y llythyren: V. Fi? Edrychodd o'i gwmpas a sylwi ar y ddynes yn gwenu'n ddrygionus yr ochr draw i'r stondin, gan wneud arwydd 'V' â'i llaw mewn ystum heddwch. Pwy oedd hi'n feddwl oedd hi, John Lennon?

Safai Mathew yn llawn penbleth, gan ddal yr hwyaden, pan ddaeth y stondinwr ato a sylwi ar ei lwyddiant.

'*A winner! What do you want, chief?*' meddai, gan dynnu'i sylw at yr emporiwm o deganau, tedis a sothach.

Ond ni fedrai Mathew ganolbwyntio. Edrychodd ar bysgodyn aur yn nofio yn ei gartref plastig gerllaw. Daliai i wylio'r pysgodyn yn galchwyn pan gafodd ei ddeffro o'i lesmair gan lais arall.

'Ti'n iawn, Mathew?'

'Yndw, pam?'

'Ti'n sterio.'

'Yndw i?'

'Ti 'di meddwi?'

'Naddo,' brathodd, fymryn yn amddiffynnol.

'Ti'n crap am ddeud celwydd!'

'Dynas od newydd ddeud rhwbath od wrtha i.'

'Dylia chdi ddod am dro i Spar ar y Maes i weld be ydi pobol od.'

'Fan'na ti'n gweithio?'

Gwenodd, a manteisiodd Lara ar y meirioli.

'Ty'd â swig i fi 'ta.'

Teimlai'n genfigennus o'r botel gwrw wrth iddi'i chipio a lapio'i gwefusau am y geg.

'Ti'n dwyn o fan'no 'fyd?' meddai Mathew, wedi iddo ddechrau dod ato'i hun.

'Mond pan dw i isio bwyd. Neu pan ma treiffl ar *special offer.*'

'Y treiffls bach 'na mewn potyn?!'

'Ia. Ma'n nhw lyfli.'

Roedd o'n cytuno. Lyfli fel y hi.

'Does 'na byth rei ar ôl pan fydda i'n mynd yno,' cwynodd Mathew, gan drio cofio'r tro dwetha iddo gael un.

'Fi sy'n 'u dwyn nhw i gyd.'

Gofynnodd y stondinwr unwaith eto be roedd o wedi'i ddewis. Ym mhresenoldeb Lara, doedd Mathew ddim eisiau cario tedi efo fo drwy'r ffair, felly pwyntiodd at y pysgodyn aur.

'Del,' meddai Mathew, wedi'i swyngyfareddu.

'Sgynno fo'm lot o fywyd. Bydd o 'di marw erbyn fory, ma'n siŵr,' meddai hithau'n chwim.

'Yr unig beth ma'n neud ydi nofio rownd a gweld pawb yn sbio arno fo,' meddai yntau.

'O'n i'n meddwl bo chdi'n licio pobl yn sbio arna chdi?' Roedd hi'n ei herio, unwaith eto.

Cymerodd Lara ddracht arall o'i botel, cyn ei gosod yn ofalus yn ôl yn ei law.

'Gynno fo bob dim mae o'i angan 'fyd, does?' meddai Mathew gan astudio'i ffrind bach newydd. ''Di o'm yn gorfod meddwl am ddim byd, ma'n siŵr.'

''Di o'm yn *cofio* bod o'n gorfod meddwl!' ychwanegodd hithau.

'Gei di o os ti isio fo,' meddai Mathew gan gynnig y pysgodyn iddi.

'Am fod gin ti'm mynadd i'w gario fo?'

Efallai ei *fod* yn hawdd i'w ddarllen wedi'r cyfan, meddyliodd Mathew.

*

Fel arfer, byddai Mathew wedi digio o fod wedi colli gweddill y criw ond roedd yn mwynhau bod ar goll efo Lara'n gwmni iddo. Ac roedd hithau yn mwynhau tynnu arno am ei ffigwr du, arswydus. Yn mynnu cael disgrifiad manwl ohoni er mwyn ceisio chwilio amdani yn y dorf.

'Du i gyd? Ma hi'n swnio fatha gwraig Darth Vader!'

'Ac ro'dd hi'n deud petha rhyfadd.'

'Fatha be?'

'O'dd hi fatha bod hi'n gwbod petha amdana i,' protestiodd, gan fynd i hwyliau wrth ddweud ei stori. 'Yn trio deud be o'dd yn mynd i ddigwydd i fi.'

'O'dd hi fatha rhyw wrach o Macbeth?' gofynnodd Lara a'i llygaid yn pefrio'n goeglyd, o gofio am eu gwersi Saesneg. 'W't ti'n mynd i fod yn frenin ar y lle 'ma, 'lly?' heriodd, cyn ychwanegu, 'Ma 'na gastell yma'n barod i chdi, does!'

'Ha ha. Dw i 'di ca'l noson rili rhyfadd rhwng yr *oddball* 'na a'r wylan.'

'Ti'n siŵr bod chdi'm 'di cymryd dim byd arall heno? Mwy nag alcohol?'

'Cris croes tân poeth.'

'Ma 'na lot o ffrîcs yma, siŵr.'

Roedd hi'n iawn eto, meddyliodd Mathew. Roedd y tebygolrwydd o gyfarfod â ffrîc mewn ffair yn uchel. Ond beth bynnag, roedd Mathew'n reit ddiolchgar i'r ffrîc yma: roedd hi wedi sicrhau fod Lara yma efo fo. Fu erioed ddim drwg na fu o dda hefyd, fel y buasai ei fam yn ei ddweud. Roedd y da yma'n well nag unrhyw ddrwg: roedd y da yma'n chwipio pen-ôl y drwg oherwydd roedd o'n amau ei bod hi'n fflyrtio efo fo. Pam arall fyddai hi'n gofyn iddo ddod ar reid efo hi? A chyn iddo gael cyfle i ddarllen y neges gudd yn ei hymddygiad, cyrhaeddodd neges destun ei ffôn. Gan CAI:

t d bachu mwy na chwadan mêt?

Gwenodd Mathew ac ysgwyd ei ben wrth weld ei ffrindiau'n chwifio a chwerthin arno o ben arall y ciw.

lwcus r ôl dechra pwpdepants ☺

gan RHYS.

Oedd, mi roedd o'n lwcus, meddyliodd Mathew, ac mewn cyfuniad o adrenalin ac alcohol mentrodd fynd am sws. Ond troi ei phen ar yr eiliad olaf wnaeth Lara ac yntau'n cael llond ceg o'i gwallt.

'Ti 'rioed 'di bod ar Reverse Bungee?' holodd Lara, heb sylwi ar ei embaras.

'Na. Ti?'

Trodd i edrych ar y bont yn y nen, ar siâp M am Mathew, a chapsiwl dur yn y canol rhwng dau lastig. Sylwodd fod lle i ddau ar y sffêr. Amneidiodd ar Lara â'i lygaid dan wenu.

'Ty'd.'

'Callia.'

''Na i dalu,' cynigiodd, gan gofio am yr arian yn ei boced ar ôl y gìg.

'Dw i'm isio bod yn *charity case*.'

Ond heb feddwl, gafaelodd amdani a'i harwain at gynffon arall o bobl.

'Ti'n g'neud habit o afa'l yn llaw genod diarth?'

'Mond rhai del,' atebodd.

O fewn rhai munudau, roedden nhw'n eistedd yn y cawell, a'r bar yn gostwng am eu hysgwyddau. Rhybuddiodd y gŵr ar y tanoi ei bod yn reid gyffrous, anturus, beryglus...

Edrychodd ar Lara a sylwi bod ei llygaid ar agor led y pen, yn barod am naid y lastig ac unrhyw beth arall. Rhyddhawyd y grym electromagnetig a llamodd y sffêr o'r platfform i'r awyr fel carreg o ffon dafl. Chwerthin wnaeth y ddau wrth i'r ffurfafen a swigod llachar y ffair uno'n gybolfa o olau. Er gwaetha'r troelli dryslyd, teimlai Mathew fel pysgodyn aur mewn dŵr clir, glân.

Roedd eu hysgwyddau'n cyffwrdd wrth gerdded i lawr at y dŵr. Byddai'n ffitio'n berffaith i'w gesail, sylwodd Mathew. Ac yntau wedi bwriadu gafael amdani clywodd ddirgrynu neges destun yn ei boced. Roedd y cyffwrdd ar ben wrth i Mathew stopio yn ei unfan. Wrth estyn i'w boced, sylwodd ar Lara'n cerdded yn ei blaen yn simsan at ymyl yr aber. Roedd y dŵr yn cosi a fflyrtio efo'r cerrig.

Trodd i edrych arno'n chwilfrydig, cyn eistedd i lawr ar y cerrig sych.

'*Update* y bet?!'

'Naci.'

Gallai ddweud nad oedd hi'n ei goelio pan eisteddodd wrth ei hymyl.

'Os ti isio gwbod – Mam. Gofyn lle ydw i,' rowliodd ei lygaid. 'Bob munud,' ychwanegodd yn hirddioddefus.

'Poeni amdana chdi? Ddylia chdi'm cwyno.'

'Isio gwbod sut a'th y gìg.'

'Saith allan o ddeg heno.'

''Mond saith?!'

'Ti isio lle i wella, does?'

'Tydi hi'm yn *keen* iawn am y peth,' cyfaddefodd wrth gyfansoddi neges i'w hateb.

'Be? Y gìg?'

'Y band.'

'Rhyfadd.'

'Ofn i fi fynd yn rhy wyllt.'

Gwenodd yn ddireidus arni a chael sioc wrth iddi hithau fwytho'i wallt o'i lygaid.

'A be ma dy dad yn 'i feddwl?'

Fel arfer, roedd yn dweud wrth bobl fod ei rieni wedi ysgaru: roedd hynny'n haws na cheisio egluro'r sefyllfa. Un yn poeni gormod a'r llall ddim yn poeni digon.

'Tydi'm ots gynno fo. Am ddim byd,' stryffaglodd i gyfaddef.

Lara oedd yr unig un erioed i beidio â chodi ael. Wnaeth ei llygaid ddim gwingo o gwbl. Ac roedd o'n ei gwylio hi'n ofalus.

'O leia mae o'n dal o gwmpas.'

'Yndi...'

''Nath Mam bygro hi oddi wrthan ni...'

'O, do?' Roedd y geiriau yn gwlwm yn ei lwnc. 'Sori.'

'Fel 'na ma hi, 'de.'

Eglurodd mai 'bygro hi o 'ma' fuasai hithau'n hoffi ei wneud hefyd ar ôl ei Lefel A.

"Mond ers blwyddyn ti'n byw yma!'

"Di o'm byd i neud efo fa'ma.'

'Gei di fynd o 'ma i'r coleg, cei?'

'Dw i'm yn gwbod. Gawn ni weld...'

Gwelai fod y lleuad yn edrych yn drist yn ei llygaid.

'Ella ddo i draw am ddisgownt i'r Spar,' mentrodd yn gellweirus.

'Ffrindia a teulu yn unig, mêt,' meddai hithau gan gellwair yn ôl.

Wrth eistedd ar lan y dŵr, roedd Mathew yn clywed rhythmau'r ffair ym mherfedd ei stumog. Daeth hithau'n nes ato, gan bwyso ar ei ysgwydd, cyn bachu'n dactegol am weddillion ei botel gwrw. Derbyniodd y golled heb brotest. Gorweddodd ar ei gefn, a'i ben yn nofio yn nüwch yr awyr serennog. Llyncodd hithau ddiferyn olaf y cwrw cyn gorwedd wrth ei ymyl.

'Wps, dw i 'di'i gorffen hi!'

'Twt, twt!'

"Swn i ond yn gallu mynd 'nôl mewn amser.'

'Weithia mae'n haws peidio sbio 'nôl,' cynigiodd yntau'n wamal. 'Rhag difaru am betha.'

'Ti'n methu peidio, siŵr. Ti'n sbio 'nôl bob tro ti'n sbio ar y lleuad.'

'E?'

Gwenodd hithau, a chrychu'i thrwyn. 'Dyna ddudodd rhyw foi ar y teli. Ma'r lleuad un eiliad olau i ffwrdd... so pan ti'n sbio ar y lleuad, ti'n 'i gweld hi fel roedd hi un eiliad yn ôl.'

'Go iawn?'

Nodiodd Lara.

'Felly, pan ti'n sbio ar y sêr, ti'n sbio 'nôl mewn amser,' ychwanegodd, a'i gwefus yn cyrlio'n feiddgar.

Trodd Mathew yn ôl at y carafanau dweud ffortiwn yn rhes y tu ôl iddyn nhw.

'O'n i'n meddwl mai trio sbio i'r dyfodol o'dd pobl wrth edrych ar y sêr?!'

Wfftio wnaeth Lara.

'Malu cachu 'di hynna i gyd.'

'Paid â sôn wrtha fi am gachu...'

A chyn iddo ail-fyw'r ias o gywilydd, roedd ias arall wedi'i feddiannu wrth i'w gwefusau ymbalfalu am ei wefusau o. O edrych ymlaen neu yn ôl, doedd Mathew erioed wedi bod mor falch o'i bresennol.

Dydd Sadwrn

Am naw o'r gloch y bore, clywodd Mathew lais cyfareddol yn ei annog i 'agor ei lygaid'. Ufuddhaodd i'r llais, cyn dilyn ei hanogaeth hudol i godi a'i dilyn at y ffenest. Ond nid ffenest ei stafell wely oedd hi, ond ffenest wedi'i llunio gan arlunydd. Yn ddu a gwyn blêr. Astudiodd yr wyth panel cymesur, ond doedd dim byd i'w weld trwy'r ffenest agored, dim ond gwyn. Craffodd ar y ffenest, yn methu â deall pam ei fod yn sownd mewn darlun. Roedd y ddynes mewn du yn ei hud-ddenu i gamu trwyddi. Nesaodd at y sil. Dyna pryd y'i gwelodd. Y corff. Corff dyn. O adnabod y corff, dechreuodd ei gorff yntau ysgwyd mewn panig a theimlodd ei wddf yn cau. Roedd fel petasai'n boddi'n fud a deffrodd yn brwydro am aer. Cythrodd i agor y ffenest fechan yn ei stafell wely, yn tagu eisiau awyr iach i'w ysgyfaint. Oedodd, gan drio canolbwyntio ar y gwylanod yn hedfan uwch ei ben tan i rythm ei galon arafu.

Golchodd y rhyddhad drosto wrth iddo sylweddoli mai breuddwyd oedd hi. Cofiodd am brofiadau rhyfedd y noson flaenorol: dau ffigwr benywaidd yn cael effeithiau tra gwahanol arno. Un wedi'i arswydo a'r llall wedi'i swyno, a'r cyfan yn un gybolfa niwlog wedi'r gig. Roedd o'n sicr wedi yfed gormod – roedd ei geg sych yn destament i hynny.

Ei syched wnaeth ei arwain i lawr y grisiau yn y diwedd. Wrth lowcio glasiad o ddŵr i'w gyfansoddiad, gwnaeth ei ffôn sŵn i ddynodi fod neges wedi cyrraedd. Neges oddi wrth rif dieithr.

Treiffl lawr i 59c! ☺

Un person yn unig fyddai wedi gyrru'r neges. Gwenodd wrth ychwanegu LARA at gof ei ffôn. Doedd o ddim yn siŵr ai ei wahodd i fynd yno oedd hi ai peidio. Roedd wrthi'n ceisio dehongli'r neges y tu ôl i eiriau Lara pan welodd y llyfr dehongli breuddwydion yn gorwedd ar y silff yn y lolfa: tystiolaeth o gyfnod ei chwaer fel 'goth'. Ac er gwaetha'i holl sinigiaeth pan fyddai hi'n edrych mewn llyfrau o'r fath, roedd ei chwilfrydedd yn drech nag o heddiw. Roedd y ddelwedd o'r corff cyfarwydd yn ei freuddwyd yn gwrthod ei adael ac yn codi cyfog arno.

Estynnodd am y clawr caled a'i fodio'n frysiog. Yn ôl y llyfr, roedd ystyr i bob elfen o freuddwyd, pob elfen o'r isymwybod. Sganiodd y mynegai, cyn hoelio'i sylw ar air a yrrodd ias drwy ei gorff. Darllenodd:

'Marwolaeth: mae breuddwydio am farwolaeth aelod o'r teulu yn awgrymu eich bod eisiau sicrhau rhyw nodwedd o'u personoliaeth – yr hyn sy'n gwneud y person hwnnw'n arbennig neu'r hyn rydych yn ei edmygu am y person...'

Wfftiodd. Roedd 'arbennig' yn un ffordd o ddisgrifio'i dad ac roedd o'n brwydro pob genyn yn ei gorff i beidio â bod yr un fath ag o.

Parhaodd i ddarllen:

'... Gall olygu bod yr hyn mae'r person yn ei gynrychioli yn rhywbeth yr hoffech ei ddileu o'ch bywyd...'

Roedd hynny'n nes ati, meddyliodd. Gallasai wneud heb y drafferth o gael ei dad yn dad iddo. Ond eto, roedd ei weld yn gorff trwy'r ffenest wedi codi arswyd arno. Efallai'n fwyfwy oherwydd geiriau'r ddynes mewn du yn y ffair. Hi oedd wedi mwydro'i ddychymyg meddw neithiwr, hi a'i rhagolygon rhyfedd.

Wrth iddo lwyddo i ddiosg teimladau od ei gwsg bu bron iddo â neidio o'i groen pan daranodd Efa, ei chwaer, i mewn i'r gegin yn llawn o'i choegni arferol.

'*Rock and roll*!' meddai gan gyfeirio at ei byjamas.

'Ti'm lot gwell dy hun,' atebodd gan gyfeirio at ei gwallt gwyllt.

'Disgwl gweld y grŵp ar MTV bora 'ma.'

'Ha, ha!' Roedd ei choegni'n brathu.

'Oes 'na ryw hanas o'r gìg 'ta? Pryd ti'n ca'l gada'l ysgol a mynd efo dy gitâr yng nghefn y fan?'

Ni wnaeth ei hateb. Roedd hithau'n synhwyro ei ddiffyg amynedd.

'Ti 'di glanio ar Blaned Grympi bore 'ma, do?'

'Naddo.'

'Ma'r ffordd ti'n deud 'naddo' yn awgrymu bo chdi'n grympi.'

'Na-a 'dw!'

'Na-a 'dw grympi oedd hwnna!'

'Chdi sy'n 'y ngneud i'n grympi!'

'*So*, ti'n cyfadda bo chdi'n grympi?!'

Gwenodd. Byddai Efa wastad yn ennill dadl. Roedd hi hyd yn oed yn fwy penderfynol ers dychwelyd o'i theithio a chychwyn ar ei chwrs Newyddiaduraeth.

'Sud a'th hi neithiwr 'ta?' Daliai i drio.

'Iawn,' meddai Mathew gan estyn am y papur newydd i guddio'r llyfr rhagddi.

'Ma raid i chdi ddysgu deud mwy na hynna os ti am fod yn *rock star*.'

'Iawn.'

Ond cyn iddo gael cyfle, roedd ei llygaid barcud wedi llamu am y papur a chipio'r llyfr breuddwydion.

'Ha! Ti'n deu'tha fi mai malu cachu ydi o i gyd!' Roedd ei llygaid yn soseri direidus.

'Malu cachu *ydi* o.'

'Pam ti'n 'i ddarllan o 'ta?'

Cododd ei ysgwyddau.

''Di ca'l breuddwyd od, w't ti?'

'Cau hi, Efa.'

'Waeth i chdi ildio rŵan, ddim.' Arwyddodd arno i eistedd gyferbyn â hi, fel petasai'n rhyw seicolegydd Americanaidd, cyn darllen. 'Ffenast, ia? Ti 'di breuddwydio am ffenast. Reit. Oedd hi'n dywyll?'

'Nag oedd.'

'Oedd hi wedi torri?'

'Nag oedd!' brathodd â'i amynedd yn fyr. 'Oes 'na rywbeth jest ar ffenast? Ffenast ar agor?'

Sganiodd ei llygaid y tudalennau. Gallai weld y mwynhad a gâi hi wrth chwilio.

'Ffenast ar agor. Oes.'

'A?'

'Ma ffenast yn arwydd o sut ti'n gweld dy fywyd,' darllenodd yn awdurdodol. 'Mae'n medru cyfeirio at dy reddf a dy ymwybyddiaeth. Ella bo chdi'n synfyfyrio ar benderfyniad. Neu angen mynd allan i'r byd mawr i brofi bywyd.'

Roedd y llyfr yn cynnig llwythi o bosibiliadau ac o'r herwydd roedd o wedi stopio gwrando.

'Welis di wyneb o gwbl trwy'r ffenast?'

'Pam?' meddai, yn ceisio cuddio'i ddiddordeb.

''Nes di 'ta be?'

Ystyriodd, cyn penderfynu dweud celwydd.

'Naddo.'

Gosododd Efa'r llyfr ar y bwrdd. Diolch byth, roedd hi wedi diflasu. Clywodd Mathew sŵn ei fam yn dod i mewn trwy'r drws cefn. Yn mwydro'i bod wedi bod am baned at Nerys Drws Nesa. Sleifiodd i gael cipolwg arall ar y llyfr a oedd yn dal ar agor ar y bwrdd. Neidiai rhai geiriau ato oddi ar y dudalen.

'Gweld wyneb trwy ffenest yn awgrymu teimlad o bellter emosiynol oddi wrth y person.'

Gafaelodd euogrwydd amdano pan glywodd ei fam yn datgan yn boenus,

'Ddoth Dad ddim adra nithiwr.'

Doedd o'n ddim byd newydd iddo beidio â dod adref. Eglurodd ei fam fod Nerys Drws Nesa wedi darganfod goriad wedi snapio yn ei chlo hi'r bore hwnnw. Ella mai fo oedd wedi trio mynd i mewn i'r tŷ anghywir.

'Ma Dad wastad yn cwyno bod y tai i gyd 'run fath, dydi!'

Ond methai Mathew â rhannu coegni ei chwaer.

'A' i i chwilio amdano fo,' meddai.

'Does 'na'm llawer o bwynt,' rhybuddiodd ei fam.

'Dw i isio.'

'O'n i'n dechra amau lle roedda *chdi* nithiwr,' meddai ei fam â chyhuddiad yn ei llygaid.

Fe'i gwelodd hi eto'n taro golwg sydyn ar y llun priodas ar y silff ger y ffenest. Roedd Mathew wedi sylwi arni hi'n syllu fymryn yn rhy hir ar y llun o'r blaen wrth siarad â fo.

'Ma hi'n mynd yn hwyrach ac yn hwyrach arna chdi.'

'Dw i'n ddeunaw. Ga i neud fel dw i isio.'

Nid ofni dylanwad allanol oedd ei fam ond ofni'r dylanwad oddi mewn i'r teulu. Canodd y ffôn, diolch byth. Llamodd ei fam i'w ateb wrth i Mathew ac Efa ei gwylio'n gwrando ar y llais ben arall y ffôn.

'Neil Crown o'dd yna. Wedi'i ffeindio fo'n cysgu yn y cei,' meddai.

Clepiodd Mathew'r llyfr breuddwydion ar gau mewn rhyddhad a'i roi yn ôl ar y silff.

*

Edrychodd Mathew i lawr ar ei dad yn eistedd yn y cwch yn cofleidio cwpanaid o de poeth. Sylwodd y byddai angen tipyn o waith ar gwch Neil Crown cyn medru denu twristiaid i forio arno yn yr haf. Roedd y dŵr a'i amgylchynai yn llawn gwymon a cherrig mwsoglyd. Edrychai'r dŵr yn oer. Gwelodd y silt yn wyrdd, a'r du llithrig yn crafangu'n hyll ar waliau'r cei. Y drwg oedd fod angen llanw uwch ac uwch i guddio olion a llanast y tro cynt.

''Rhen John yn ffansïo'i hun yn llongwr!' Chwarddodd Neil Crown, wrth weld Mathew.

'*Ti* 'rioed 'di trio deud y gwahaniaeth rhwng y tai 'na

yn y t'wyllwch?' protestiodd ei dad gan leisio'i brotest gyfarwydd. ''Nenwedig ers i Nerys Drws Nesa hefyd ga'l *blinds* pren.'

Parhaodd ei dad i fwmblian am gael ei ddrysu, oherwydd bai rhywun arall fyddai ei fethiant o bob tro.

'Gath yr hen Russian 'na afa'l arna fi eto,' chwarddodd, gan edrych ar Neil Crown am frawdoliaeth. Fo fu'n gweini'r fodca iddo, wedi'r cyfan.

Llwyddodd Mathew i gael ei draed yn saff ar fwrdd y llong ac eistedd gyferbyn â'i dad.

'O'dd Mam yn flin?' holodd ei dad, gan drio ymddangos yn ddi-hid.

Yr un hen gwestiwn. Beth oedd o'n ei ddisgwyl fel ateb? Yn unol â'i arferiad, o flaen cynulleidfa, dechreuodd ddynwared ei wraig. Gofynnodd i Mathew a wnaethai hi'r wyneb yma, gan godi'i aeliau'n ferthyraidd. Gwyddai Mathew pa wyneb roedd o'n ei feddwl. Llenwai chwerthin Neil y cei tra daliai Mathew i syllu ar y cen ar ymyl y cwch.

'Ma gynni hi hawl bod yn flin,' ceisiodd Mathew ei hamddiffyn.

'Ddudis i erioed mod i'n berffaith, naddo?' oedd ateb swta ei dad.

Perffaith? Chwarddodd Mathew y tu mewn. Byddai 'presennol' wedi bod yn dderbyniol. Estynnodd Mathew i helpu ei dad i godi. Roedd arogl sur ei anadl yn gwmwl o'i gwmpas. Ac er gwaetha ei wamalrwydd ymddangosiadol, sylwodd Mathew ar y cryndod yn ei lais a'r cur yn ei lygaid.

'O'dd Mam yn flin go iawn?' holodd ei dad unwaith eto, gan awgrymu euogrwydd y tro hwn.

Ysgydwodd Mathew ei ben, gan weld adlewyrchiad o'r ysgwyd yn nwylo'i dad wrth iddo ymbalfalu ar ei draed, cyn cyfogi dros ymyl y cwch.

Er ei fod wedi cysgu y tu allan, roedd ei dad angen mwy o awyr iach cyn dychwelyd adref. Dilynodd y ddau wal y cei nes cyrraedd y castell. Dilyn y wal a dilyn yr ager oedd yn dod o'u cegau. Er mai awyr iach oedd yr esgus, roedd Mathew yn amau'n gryf ei fod yn gwybod tuag at ble roedden nhw'n anelu go iawn. Edrychai'r cyfan mor heddychlon yn nhawelwch y bore. Eisteddodd y ddau â'u coesau'n hongian dros ochr wal y cei. Heb dorri gair â'i gilydd roedd y ddau'n anadlu'n ddwfn ac yn cau eu llygaid. Sgrechian y gwylanod oedd yr unig sŵn i'w hatgoffa fod y byd yn dal i droi.

'Gola gora yn y bora,' gwenodd ei dad ar ôl rhai munudau.

Sylwodd Mathew fod ei dad yn gwylio'r elyrch yn plymio â'u pen-olau i fyny. Chwilio am fwyd oedden nhw ymysg y boteli gwag a'r sbwriel. Roedd yr haul yn isel a'i gysgodion yn hir. Ond doedd o ddim mor llachar nes ei fod yn crafu eu llygaid. Yn wir, roedd yn olau bendigedig.

Pam na fyddai o'n tynnu chydig o luniau, cynigiodd Mathew, a'u gwerthu i'r siopau lleol? Roedd galw am luniau o'r castell yn siopau'r dref.

'Hogyn dy fam w't tithau 'fyd 'de?' gwenodd ei dad wrth adnabod y bregeth.

'Waeth i chdi drio. Gwerthu cardia post i'r twristiaid neu rwbath?'

Cyn gynted ag yr agorodd ei geg, roedd wedi difaru. Daeth sgrechian y gwylanod yn nes.

'Dim job ydi tynnu llunia, siŵr,' mynnodd ei dad yn gadarn. 'Mi fedar unrhyw ffŵl fframio castell ac alarch efo'i gilydd. Rhaid i lun *ddeud* rwbath. Am berspectif. Am fywyd. Sgwennu efo golau w't ti i fod...'

Mi fyddai gweld golau yn ddechreuad, meddyliodd Mathew. Golau naturiol, nid golau artiffisial tafarn. Byddai gafael mewn camera yn ddatblygiad pendant. Doedd o ddim yn cofio'r tro diwethaf iddo'i weld yn cario camera. Byddai'r stafell dywyll wag yn y tŷ yn achwyn hynny iddo. Hel poteli llawn oedd ei dad yno – y datblygydd, y *stopbath* a'r *fixer* – a hel poteli gwag i lawr yn y dre. Methai edrych arno. Edrychodd Mathew tua'r castell am gadernid. Roedd ei waliau yntau bron yn trochi yn y dŵr, fel eu traed nhw.

'I be mae pobl isio'i lun o, beth bynnag?' holodd John i darfu ar y tawelwch.

'Be?'

'Y castell. 'Di o'n g'neud dim byd.'

'O'dd o i fod fatha Caer Cystennin yn Nhwrci,' meddai Mathew gan feirioli. 'Athro Hanes yn deud nad ydi o erioed wedi cyflawni ei bwrpas.'

'Dyna ddeudodd o?'

''Chath o 'rioed 'i orffan yn iawn neu rwbath,' ychwanegodd Mathew.

'Rhywbeth trist am hynny,' meddai ei dad yn synfyfyriol.

Roedd saib o ddealltwriaeth rhwng y ddau.

'Wel ma'r diawl hyll 'di gada'l 'i farc arna i, dydi?' Poerodd wedyn.

Gwyddai Mathew yn syth pa farc roedd o'n ei feddwl. Y marc oedd yn golygu eu bod wedi 'gorfod' gorffwyso yma heddiw. Y marc oedd yn golygu fod ei dad yn gloff. Pan oedd Mathew yn bump oed, mi aeth ei dad ag o am dro i fyny Tŵr yr Eryr. Wrth gyrraedd y brig, roedd Mathew wedi rhedeg at y dibyn, a'i dad wedi gorfod llamu ar ei ôl, gan faglu ar y llawr caled. Er iddo arbed ei fab, doedd o ddim wedi arbed ei ben-glin. Dyna pam, tybiai Mathew, y byddai o'n gwgu bob tro y byddai rhywun yn sôn am y lle, yn hytrach nag oherwydd unrhyw ddaliadau gwladgarol.

'Fu'sh i 'rioed 'run fath wedyn,' meddai ei dad gan fwytho'i anaf. 'Gwatsia di'r grisiau wrth gyrradd y top. Paid â g'neud yr un camgymeriadau â fi...'

Gwenodd Mathew heb feddwl. A'i dad yn gofyn pam. Doedd o ddim yn gwybod pam – efallai am ei fod yn ysu i rannu ei ofnau â rhywun. Ond mi ddywedodd wrtho am y ddynes ryfedd honno yn y ffair oedd wedi dweud ei fod yn debyg i'w dad. Chwerthin ddaru yntau cyn holi oedd hi wedi codi gymaint â hynny o ofn arno?

'Wyt ti'n coelio bod pobl yn gallu rhag-weld y dyfodol?' holodd Mathew.

'Seicics a ballu?'

'Ia,' meddai gan edrych draw i gyfeiriad y ffair.

'Ma 'na ryw wirionedd yn y rhan fwya o betha. A phobol.'

Roedd o fel petasai'n ceisio cyfiawnhau ei hun.

Sylwodd Mathew ei fod wedi'i swyngyfareddu'n llwyr gan yr elyrch.

'Hyd yn oed os ydi o'n swnio'n hollol nyts?' holodd Mathew, gan gofio geiriau cryptig y ddynes.

'Oedd pobl yn arfar meddwl fod pob alarch yn wyn, tan iddyn nhw ffeindio rhai du yng ngorllewin Awstralia.' Anwesodd ei gymalau cyn parhau. 'Ma'n hawdd meddwl bod rhywbeth yn amhosib. Cadw meddwl agored sydd isio, 'sti.'

Mewn eiliad, medrai ei dad ddweud rhywbeth a fyddai'n troi ei fyd ben i waered. Fel yr alarch hardd yn plymio. Yn gwneud i Mathew sylweddoli bod talpiau o wirionedd yn llosgi yn llanast ei feddwl.

'Dydi hi ddim yn well sticio at un ffordd o feddwl?' holodd, gan feddwl am ei fam a'i daliadau cryf.

'Haws, ella. Dim gwell.'

Eglurodd ei dad am wyddoniaeth rhwydweithio. O fedru cadw meddwl agored, roedd yn bosib ystyried nifer o gyfeiriadau gwahanol a chael gwell arolwg o bethau – haws gwneud penderfyniad addysgiedig ar ôl cael nifer o wahanol safbwyntiau. Roedd y we fyd-eang i gyd yn seiliedig ar wyddoniaeth rhwydweithio, a'r posibiliadau am wybodaeth yn ddiddiwedd.

Bellach, roedd ymennydd Mathew'n brifo, wrth iddo ddechrau canolbwyntio ar rwydwaith gwahanol i'r hyn y mwydrai ei dad yn ei gylch. Rhwydweithiau'r gwythiennau cochion ar ei drwyn: y rheiny a oedd yn achwyn ei gaethiwed. Y cathiwed hwnnw oedd yn gyrru melin bupur ei siarad heddiw, gwyddai Mathew hynny'n bendant. Sylwodd fod ei dad yn crynu.

'Awn ni i rwla i g'nesu,' meddai ei dad wrtho.

Datganiad oedd o, yn hytrach na chwestiwn. Cyn ychwanegu, 'Does 'na'm rhaid i ni fynd yn bell, nag oes?'

Roedd o mor dryloyw â'r dŵr islaw.

'Iawn. Ond, ym, jyst gwatsia faint ti'n yfed,' ceisiodd Mathew ddatgan.

Craciodd wyneb ei dad yn wên ddireidus. 'Oes 'na ddrych yn y Crown 'na, d'wad?'

'Braidd yn fuan, dydi,' cynigiodd yn ddiplomataidd.

Gwyliodd Mathew nifer o deimladau gwahanol yn ymlid ei gilydd ar ei wyneb. Yna tarodd ei dad ar ei esgus dewisiedig heddiw.

'Dylia fi roi rwbath tu ôl i bar i Neil am y B&B! Er bod o heb sortio'r *central heating* eto.'

Mewn ymdrech i gymedroli ei syched, cytunodd Mathew i ymuno ag o am ginio.Y tad a'r mab mewn tafarn. Un yn bwyta a'r llall yn yfed.

'Dylia chdi gael rwbath i'w fwyta,' cynigiodd Mathew, gan glywed llais ei fam yn ei eiriau.

'Ha ha! *Eating is cheating*,' clywodd y plentyn yn ei dad.

Eisteddai yn ei stôl yn sipian ei foddion, yn holi am y gìg neithiwr. Gwyddai Mathew cyn iddo fynd dim pellach fod meddwl ei dad yn teithio ar hyd yr un hen lwybr.

*

Bob tro y clywai'r gair 'band', roedd o'n adrodd yr un hen stori am ei brofiad o mewn band ers talwm. Ac er bod ei dad yn gwybod bod Mathew wedi'i chlywed o'r blaen, wnaeth hynny mo'i stopio. Clywodd y llith gyfarwydd am y ffeit yn y bar yn Manceinion wrth iddyn nhw chwarae, a gwddw'i gitâr yn snapio yn y gyflafan.

'… nes bod y pedwar tant jyst yn hongian wrth ddim byd. Gitâr fas yn dda i ddim byd heb y gwddw hir, yn nac'di?'

'Nac unrhyw gitâr arall chwaith, beryg,' ychwanegodd Mathew, fel petai'n clywed yr hanes am y tro cyntaf.

'Ti'n iawn. Gwddw sy'n dal pob dim wrth ei gilydd, 'de. Gofyn di i unrhyw jiráff.'

Gitâr fas roedd ei dad hefyd wedi'i chwarae yn ei ddydd. Roedd yn llawn brwdfrydedd wrth egluro bod y nodau dyfn yn angori fframwaith y gerddoriaeth.

'Rhaid bod gen ti rythm dy dad, 'lly,' meddai gan wincio.

'Wel, os ydi o ddigon da i Sting 'de!' meddai Mathew.

'Jyst addo i fi bo chdi'm yn dechra g'neud ioga.'

'Fatha Mam?'

'Naci, fatha Sting!'

Fel petasai'n synhwyro eu bod yn siarad amdani, dyma'i fam yn ffonio. Wrth weld ei henw ar sgrin ei ffôn, cofiodd Mathew nad oedd wedi cysylltu â hi. Eglurodd yn lletchwith ei fod o'n iawn a'u bod nhw 'di mynd am ginio. Ochneidiodd ei fam wrth i Mathew honni'n gelwyddog fod ei dad yn y tŷ bach. Doedd o ddim eisiau iddi glywed sŵn y gwin yn ei lais mor fore.

'Lle ydach chi? Yn y Crown, ia?'

'O'n i wedi anghofio lîd y gitâr neithiwr.'

Roedd y tawelwch yn hir ar ben arall y ffôn. A'r ffarwelio'n oeraidd.

'O'dd Mam yn flin?'

Roedd ceg Mathew'n gam a'i eiriau ynghrog yn ei wddf. Dechreuodd dagu.

'Syched? Be gymri di?'

'Un, 'ta,' cytunodd. Roedd y drwg wedi'i wneud rŵan.

Un glasiad roedd o wedi'i feddwl ond dychwelodd John o'r bar hefo botel gyfan.

'Ddudodd Robert Louis Stevenson, do, *Wine is bottled poetry*'. 'Nenwedig y pris yma!'

Dyna fo eto: pob cyfiawnhad posib dros ei ymddygiad ac roedd Mathew'n flin efo'i hun am gael ei dynnu i fod yn rhan o'i gêm. Roedd o'n rhoi caniatâd iddo. Trwydded am ddiwrnod arall i barhau â'r un ymddygiad. Ac am ddwy botelaid o win roedd o'n iawn. Aethai Mathew mor bell â dweud ei fod yn mwynhau hyd yn oed, yn enwedig pan ddechreuodd ei dad siarad yn angerddol am ei ffotograffiaeth. Roedd o bron yn dechrau coelio y byddai'n ailafael yn ei dalent, cymaint oedd ei arddeliad.

Cofiai ryfeddu at ddoniau ei dad yn y stafell dywyll ers talwm: at ei allu lledrithiol i droi negatif yn llun byw. Credai Mathew ei fod o'n ddewin. Roedd o'n ddawnus yn ddi-ddadl, ond ymhlyg yn ei gamp roedd rhemp hefyd. Wrth ei weld o heddiw câi Mathew ei atgoffa o'r broses a wyliai mewn rhyfeddod yn ystod ei blentyndod. Pan fyddai'n yfed, roedd ei dad fel negatif yn cael ei osod yn y chwyddwr, a phob rhinwedd a ffaeledd yn cael eu hamlygu'n fwy. Roedd Mathew eisiau tollti *fixer* arno pan fyddai o fel hyn. Roedd o eisiau rhewi'r eiliadau perffaith cyn i'r cemegolion barhau i ddatblygu a throi'n rhy ddu neu'n rhy wyn, eithafol. Eisiau ei amddiffyn cyn i'w dad biclo'i hun yn y bath yn rhy hir.

Ac wedyn roedd 'un' wedi troi'n 'un yn ormod'. Erbyn canol y prynhawn roedd o'n ddyn gwahanol. Nid yn unig dechreuai ailadrodd straeon roedd wedi'u hadrodd o'r blaen, ond roedd o hyd yn oed yn ailadrodd pethau a ddywedasai oriau ynghynt. Fel petasai ei feddwl yn ddolen ddiddiwedd o'r un meddyliau.

'Ma'r gola gora yn y bora,' datganodd, cyn chwerthin. 'Ma hwnna'n odli! Yn y gora ma'r bora gola. 'Na be ddeudis i?'

Wrth i'w dad drio aildrefnu ei gytseiniaid, dechreuodd Mathew anniddigo. Dechreuodd ei lygaid grwydro ar hyd y dafarn. Go wag roedd hi'r p'nawn hwnnw. Yn rhyfedd o ystyried mor llawn o bobl ac awyrgylch roedd hi yno y noson flaenorol. Cododd er mwyn edrych drwy'r ffenestri mawr a fframiai'r olygfa i gyfeiriad Sir Fôn.

Wrth astudio'r gorwel pell teimlai lygaid yn syllu arno. Sylwodd fod Daniel Morris a chriw y stad yn chwarae pŵl. Roedd o'n ei gofio yn yr ysgol, cyn iddo adael i fynd yn brentis gyda thrydanwr. Yn ei gofio'n hael ei ddyrnau ar y cae pêl-droed ac yn cychwyn cwffio ag unrhyw un a feiddiai gyffwrdd yn un o'i chwiorydd. Felly beth fyddai ei ymateb petasai'n gwybod bod Mathew wedi cyffwrdd yn ei gyn-gariad neithiwr? Nodiodd Mathew ei gydnabyddiaeth. Ond ni chafodd ymateb.

Edrychodd Mathew yn ôl ar ei dad ar y stôl, yn

ymbalfalu yn ei bocedi am newid mân. Dihangodd i'r toiledau.

Yn union fel y noson cynt, pwy oedd yn y dafarn pan ddychwelodd ond y hi, Lara. Yn wên wresog wedi'i lapio mewn côt ffwr rhag yr oerfel. Edrychai'n rhyfeddol.

'Ti'm yn licio treiffl gymaint â hynna ma raid,' cododd ei hael yn gyhuddgar.

'Tipyn o ddeud,' petrusodd Mathew.

'O'n i'n meddwl 'sa chdi 'di dod lawr i'w nôl o.'

Gwahoddiad *oedd* o, felly. Rhegodd Mathew ei hun, a'i dad.

'Sori. O'n i'n brysur,' meddai gan edrych i gyfeiriad y bar.

Daliai ei dad i wagio cynnwys ei bocedi ar y cownter, fel tasai amser wedi arafu yn ei ben. Roedd byd Mathew wedi dechrau troi'n sydyn iawn wrth iddo ystyried ei opsiynau: ei dad ar y naill law a Daniel ar y llall. Cynigiodd fynd am dro ac er mawr rhyddhad cytunodd Lara wrth weld ei ffrindiau'n diflannu at y criw yn chwarae pŵl efo Daniel. Doedd hithau chwaith ddim am ddeffro'r bwystfil. Roedd Mathew bron wedi llwyddo i osgoi ei fwystfil yntau ond wrth iddo anelu am allan, rhedodd John, ei dad, ar ei ôl. Roedd conglau ei geg yn ewyn gwyn a'i lais yn rhy uchel i furmur hamddenol p'nawn dydd Sadwrn yn y dafarn.

'Sgin ti'm ffasiwn beth â menthyg i dy hen ddyn?'

Roedd ei lygaid yn disgleirio'n ymbilgar. I'w dawelu, mi stwffiodd Mathew bapur decpunt i'w law. Ond roedd hi'n rhy hwyr. Roedd hi wedi'i weld. Disgwyliodd tan roedden nhw allan cyn iddi ddeud gair.

'Dy dad o'dd hwnna?'

Nodiodd.

'Ma'n licio, yndi?' meddai, ac ystumio yfed o wydryn ei llaw.

Saib, cyn iddo ateb, 'Yndi.'

Un gair syml yn cwmpasu oes.

'Dw i 'di gwrthod 'i syrfio fo yn Spar.'

Hi oedd y person mwyaf diflewyn ar dafod i Mathew erioed ei chyfarfod. I un a oedd wedi arfer dawnsio er mwyn osgoi'r darnau gwydr ar y llawr, roedd Lara'n cerdded yn blaen a phowld i'w canol. Bron nad oedd hi'n cael blas ar y gwaed o dan draed.

Pan deimlodd Mathew y dropyn glaw ar ei ysgwydd, roedd o bron â neidio o'i groen wrth ofni bom o gachu gan wylan arall. Byddai dwy waith o fewn deuddydd wedi bod yn anhygoel, ond roedd llawer o wylanod yn yr awyr wrth i'r cymylau du nesáu. Fel teyrnged i fore digon dymunol, arweiniodd Lara'n reddfol tuag at y castell i ddianc rhag y glaw.

'O'n i'n meddwl Pound Stretcher neu rywle i gysgodi!' meddai hi.

'Pam. Ti'm isio mynd i mewn?' meddai yntau.

''Swn i wrth fy modd ond ma'n ddrud, dydi.'

'Mae'n dibynnu pa mor sydyn ti'n medru rhedeg.'

Cydiodd yn ei llaw a'i harwain tuag at y ciw o dramorwyr oedd yn gweiddi eu hedmygedd wrth gyrraedd y castell. Gafaelodd yn hyderus yn ei llaw wrth iddyn nhw wibio heibio i'r caban talu, cyn hyrddio ar amrantiad i ganol y gaer. Dilynodd hi ei gamau'n reddfol gan regi a chwerthin bob yn ail. Roedd y direidi wedi'u huno.

Cyfaddefodd wrthi wedyn mai Rhys, gŵr Nerys Drws Nesa, oedd y porthor. Gollyngodd hithau anadl hir o ryddhad.

'Ti'n cael dod yma unrhyw bryd ti isio, 'lly?'

'Yndw. Er mod i byth yn dod, chwaith.'

Dywedodd Lara y buasai hi wrth ei bodd yn byw a bod yma, ac aeth ati i ddarllen yr hanes yn frwdfrydig: '"Ym mhob castell consentrig mae'r fynedfa a'r canol yn cael eu hamddiffyn gan gyfres o lenwaliau." Llenwalia? Be ddiawl 'di hynna?'

'Llen o walia. Fatha cyrtans,' eglurodd yntau.

'Dw i 'rioed 'di sylwi o'r blaen,' meddai gan fyseddu'r cerrig. 'Cyrtans drud y diawl i Edward. Gosh! Ma'r walia'n bymtheg troedfedd o drwch yn Nhŵr yr Eryr,' ychwanegodd wedyn.

'Trio gwarchod rhwbath,' cynigiodd Mathew, gan ddwyn i gof mai dyma lle y ganwyd Edward yr Ail.

'Ia, ella,' atebodd Lara'n gyndyn. 'Neu fod o'm isio clwad miwsig drws nesa fatha'n stad ni.'

Roedd hi wedi crychu'i thrwyn eto, fel y gwnâi pan ddywedai rhywbeth clyfar, neu ddigri, neu pan oedd o wedi'i rhyfeddu. Crychodd ei thrwyn unwaith eto pan ddywedodd Mathew wrthi fod y Tŵr yn ddeugain metr o uchder.

'Ma'n teimlo felly erbyn rŵan!' ebychodd Lara, wrth gyrraedd y grisiau crog oedd yn arwain i'w gopa.

Safon nhw yno, bron i gant a thri deg troedfedd uwchben y tir. Nes profi'r fertigo od a ddeuai dros rhywun wrth edrych dros yr ochr. Nesaodd y ddau tua'r bwlch rhwng y cerrig.

'Ti'm yn teimlo ryw awydd od i fod isio neidio?' holodd Mathew, wrth deimlo'n benysgafn.

'E? Callia!' brathodd hithau, cyn sgrechian pan gydiodd ynddi mewn ystum i smalio trio ei thaflu i lawr.

''Nath Efa naid bungee yn Seland Newydd.'

'Pwy ddiawl 'di Efa?'

''Yn chwaer i. O'dd o'n uwch na hyn, dw i'n siŵr.'

'Braf,' oedd unig ateb Lara.

Medrai o ddweud ei bod hi'n mwynhau yno. Roedd hi'n gyndyn o adael y brig ac yn arbennig o bigog pan ddaeth Americanwyr i ymuno â nhw ar y copa. Ond roedd Mathew'n ddiolchgar iawn iddyn nhw pan gydiodd hi ynddo yn nhywyllwch y lloriau am i lawr. Yn y tywyllwch, a'u meddwl a'u synhwyrau'n hollol effro, y cawsant eu swc sobor cyntaf. Roedd gwefrau newydd yn meddiannu Mathew, tan y canodd y ffôn ym mhoced ei drowsus ac amharu ar y foment.

'Iawn, Mr Pwpdepants? Dw i'n gweld chdi nes mlaen, ' holodd Cai, yn dal i odro'r anffawd.

. Dw i'n brysur jyst rŵan.'

dd Cai yn sydyn. 'Ti 'di ca'l gafa'l ar y tits

di nes mlaen,' gwaeddodd Mathew, yn dd Lara eiriau cwrs ei ffrind.

hi. 'Trefnu 'marfer band wsq

'O.'

'A gofyn os dw i'n mynd i'r ffair nes mlaen.'

'W't ti?'

'O'n i'n meddwl mynd rwân. Efo chdi.'

'Ella mod i'n brysur,' chwaraeodd Lara.

'W't ti?'

'Nac 'dw!'

''Na fo, 'ta!'

''Dan ni'n mynd efo'n gilydd rwân 'ta?' holodd hi, wrth glymu ei braich yn ei fraich o.

'Mynd efo'n gilydd i'r ffair? Yndan, gobeithio!'

Roedd o'n tynnu arni ond roedden nhw'n deall ei gilydd: yn deall bod dim arall i'w wneud ond cusanu i selio'u cytundeb.

*

Clywed chwibanu rhyfedd wnaeth o yn gyntaf. Wedyn mi edrychodd ar y myrdd o hysbysebion oedd yn datgan yn glir ei bod yn bosib rhag-weld y dyfodol. Tri deg punt am dri cherdyn, saith deg punt am saith cerdyn.

'*Con*!' datganodd Lara'n sinigaidd. 'Os bysan nhw o ddifri'n medru rhag-weld y dyfodol, fasan nhw ddim yn treulio'u nos Sadwrn yn fferru mewn carafán. Mi fas[ar] nhw i gyd yn gyfoethog, wedi ennill y loteri achos [bod] nhw 'di rhag-weld y rhifau.'

'Pam na 'nei di'm jyst deud be ti'n feddwl,[' ch]wenodd yntau'n ddireidus.

'Rwtsh,' meddai wedyn, cyn ychwanegu [iddi fyn]d i nôl bwyd.

rhywun wrth edrych dros yr ochr. Nesaodd y ddau tua'r bwlch rhwng y cerrig.

'Ti'm yn teimlo ryw awydd od i fod isio neidio?' holodd Mathew, wrth deimlo'n benysgafn.

'E? Callia!' brathodd hithau, cyn sgrechian pan gydiodd ynddi mewn ystum i smalio trio ei thaflu i lawr.

"Nath Efa naid *bungee* yn Seland Newydd.'

'Pwy ddiawl 'di Efa?'

"Yn chwaer i. O'dd o'n uwch na hyn, dw i'n siŵr.'

'Braf,' oedd unig ateb Lara.

Medrai o ddweud ei bod hi'n mwynhau yno. Roedd hi'n gyndyn o adael y brig ac yn arbennig o bigog pan ddaeth Americanwyr i ymuno â nhw ar y copa. Ond roedd Mathew'n ddiolchgar iawn iddyn nhw pan gydiodd hi ynddo yn nhywyllwch y lloriau am i lawr. Yn y tywyllwch, a'u meddwl a'u synhwyrau'n hollol effro, y cawsant eu sws sobor cyntaf. Roedd gwefrau newydd yn meddiannu Mathew, tan y canodd y ffôn ym mhoced ei drowsus ac amharu ar y foment.

'Iawn, Mr Pwpdepants? Dw i'n gweld chdi nes mlaen, ia be?' holodd Cai, yn dal i odro'r anffawd.

'Ia, ella. Dw i'n brysur jyst rŵan.'

'O,' deallodd Cai yn sydyn. 'Ti 'di ca'l gafa'l ar y tits 'na byth?'

'Ia, ocê. Wela i di nes mlaen,' gwaeddodd Mathew, yn gobeithio na chlywodd Lara eiriau cwrs ei ffrind.

'Cai,' eglurodd wrthi. 'Trefnu 'marfer band wsos nesa.'

'O.'

'A gofyn os dw i'n mynd i'r ffair nes mlaen.'

'W't ti?'

'O'n i'n meddwl mynd rwân. Efo chdi.'

'Ella mod i'n brysur,' chwaraeodd Lara.

'W't ti?'

'Nac 'dw!'

''Na fo, 'ta!'

''Dan ni'n mynd efo'n gilydd rŵan 'ta?' holodd hi, wrth glymu ei braich yn ei fraich o.

'Mynd efo'n gilydd i'r ffair? Yndan, gobeithio!'

Roedd o'n tynnu arni ond roedden nhw'n deall ei gilydd: yn deall bod dim arall i'w wneud ond cusanu i selio'u cytundeb.

*

Clywed chwibanu rhyfedd wnaeth o yn gyntaf. Wedyn mi edrychodd ar y myrdd o hysbysebion oedd yn datgan yn glir ei bod yn bosib rhag-weld y dyfodol. Tri deg punt am dri cherdyn, saith deg punt am saith cerdyn.

'Con!' datganodd Lara'n sinigaidd. 'Os bysan nhw o ddifri'n medru rhag-weld y dyfodol, fasan nhw ddim yn treulio'u nos Sadwrn yn fferru mewn carafán. Mi fasan nhw i gyd yn gyfoethog, wedi ennill y loteri achos bod nhw 'di rhag-weld y rhifau.'

'Pam na 'nei di'm jyst deud be ti'n feddwl, Lara?' gwenodd yntau'n ddireidus.

'Rwtsh,' meddai wedyn, cyn ychwanegu ei bod yn mynd i nôl bwyd.

curiad ei galon yn ei fyddaru. Teimlodd ias oer yn ei feddiannu.

'Wyt ti'n ddigon cynnes?' gofynnodd y seicig.

'Yndw,' meddai gan frathu'n amddiffynnol.

'Ti 'di bod allan yn hirach na'r disgwyl heno?'

'Nag ydw.'

'Ella mai'r cwrw sydd 'di dy oeri di."

'Dim ond un ges i.'

Roedd Mathew yn ei gwylio'n agos wrth iddi gymysgu'r cardiau. Hawdd oedd ymgolli yn y weithred rhythmig. Ceisiodd ganolbwyntio ar ei dwylo a pheidio â meddwl pa mor anarferol oedd y sefyllfa. Yna, cyflwynodd y bwndel ger ei fron.

'Torra'r cardia.'

'Fi?'

'Dy ffawd di ydi o.'

Y gair hwnnw eto. Estynnodd ei law.

'Efo dy law chwith.'

Ufuddhaodd, gan adael un pentwr mawr ac un pentwr prin iawn.

'Dewis.'

Llygadodd y ddau dŵr a'i law'n hofran uwch eu pennau, cyn plymio am y pecyn mwyaf. Gafaelodd y seicig yn y pecyn a ddewisodd, cyn ei osod ar ben y pecyn bychan. Edrychodd ar Mathew, cyn anadlu'n ddwfn a gosod tri cherdyn ochr yn ochr, wyneb i waered ar y bwrdd o'i flaen. Yn araf a bwriadus, trodd y cerdyn cyntaf.

Oedodd uwch ei ben yn ystyriol. Roedd hi mor araf

nes ei fod o isio deud wrthi am frysio. Ond roedd rhyw amseru annelwig i'w gweithredoedd. Gwenodd Mathew wrth weld y cerdyn cynta. Brenin y Rhawiau. Macbeth. Roedd o'n meddwl am Lara'n tynnu arno ynghynt, ac yn disgwyl yn flin a diamynedd amdano y tu allan.

Pwyntiodd y seicig at y cerdyn, y Brenin.

'Dy orffennol ddim 'di bod yn un hapus...'

Dweud oedd hi, nid gofyn.

'Dw i'n gweld ansicrwydd mawr. A diniweidrwydd. A... dylanwad negyddol ffigwr gwrywaidd...'

Teimlodd Mathew y blew bychain ar gefn ei wddf yn sythu, ond ceisiodd guddio'i anniddigrwydd rhagddi.

'Ella.'

'Dad?'

Triodd gelu'r ddelwedd rhag llygad ei feddwl. Ond yr unig beth a welai oedd y ddelwedd ohono'n gorff yn ei freuddwyd y bore hwnnw. Mi ddywedodd hi rywbeth am ei dad neithiwr hefyd, felly pam roedd hi'n ei brocio a'i bryfocio? Brwydrodd i lyncu ei boer.

'Llawer yn debyg ynddach chi... ond tipyn yn wahanol hefyd.'

'Gobeithio.'

'Wyt ti ddim eisiau bod yn debyg iddo fo?'

Cododd ei ysgwyddau.

'Eto ma 'na rywbeth yn eich clymu chi efo'ch gilydd.'

'Gwaed!' meddai Mathew, yn trio ysgafnhau trymder y tensiwn yn ei war.

Ond trodd ei phen yn sydyn a dechrau gwneud llun ar y bwrdd. Hyrddiodd y seicig ei bys yn ei flaen, fel petasai wedi cael ei meddiannu gan ryw rym goruwchnaturiol. I'w lygaid o, roedd y darlun a wnaeth yn edrych fel llinellau blith draphlith ac roedd o'n falch pan ddatgelodd ei meddyliau.

'Tân.'

'Tân?'

'Dw i'n gweld tân.'

Chwerthin wnaeth o.

'Mi all fod yn dân trosiadol,' meddai hi gan ei ddwrdio. 'Angerdd. Ti'n berson angerddol.'

Datganiad yn hytrach na chwestiwn eto.

'Ella.'

'Neu dy dad.'

Tagodd chwerthiniad arall, oherwydd pe bai hi'n cario ymlaen fel hyn, mi fyddai wedi myncgi pob posibiliad ac felly'n sicr o fod yn dweud rhyw fath o wirionedd.

'Rŵan am y presennol,' meddai gan symud ei golygon at yr ail gerdyn, mewn ymgais i ganolbwyntio ei feddwl unwaith eto.

Tro'r seicig oedd hi i chwerthin wrth droi at yr ail gerdyn. Chwech o Galonnau. Toedd Mathew ddim yn deall y jôc.

'Pam bo chi'n chwerthin?'

'Hwn.' Tarodd ei bys ar y chwech yn gadarn. 'Nodi dechrau newydd, cadarnhaol. Ffrindia, teulu...?'

'Ma'n chwaer newydd ddod adra. 'Di bod yn teithio.'

''Dach chi'n agos.'

'Yndan. Ond ma hi'n dechra mynd ar 'y nyrfs i'n barod,' atebodd yntau. 'Dwyn 'yn iPod i a ballu.'

'Cariad, hefyd,' torrodd ar ei draws, fel petai newydd weld i mewn i'w ymennydd.

Sut anghofiodd o?

'Wel... dw i wedi cyfarfod hogan.'

Nodiodd hi'n herfeiddiol, mewn ystum 'ddudish i'.

Ond diflannu'n sydyn wnaeth y wên wrth iddi droi'r cerdyn olaf. Am chwarter eiliad fferrodd ei llygaid a sythodd ei chorff. Teimlai'r eiliadau'n hir i Mathew wrth iddi ei hastudio. Brenhines y Rhawiau. Gwelodd lygaid y seicig yn symud o ochr i ochr fel petasai'n gwylio gêm o dennis cyflym.

'Hwnna ydi'r dyfodol?' gofynnodd yn y diwedd.

Nodiodd hithau'n araf.

'Be ma hwnna'n ddeud, 'ta?'

Gwelodd ei hwyneb yn gwelwi. Synhwyrodd ddiffyg rheolaeth ar ei llais wrth iddi egluro ei fod yn gallu golygu dechrau newydd. Neu fod rhywbeth yn amharu ar batrwm.

'A...?'

'Ma 'na ddylanwad benywaidd... dylanwad dinistriol. Gwylia dy hun.'

Yn sydyn, cododd a chau'r cyrtans. Cafodd Mathew gipolwg o wallt Lara a hithau'n edrych yn ddiamcan amdano y tu allan. Saethodd euogrwydd drwyddo wrth feddwl iddo ddod i mewn heb ei rhybuddio. Edrychodd ar y seicig, a honno wedi arswydo drwyddi.

'Lara?'

'Dyna ydi'i henw hi?'

Gofynnodd iddi a oedd hi'n awgrymu mai Lara fyddai'r dylanwad dinistriol?

'Ma hi ar hyn o bryd! Mae angen i ni ganolbwyntio,' meddai gan weiddi erbyn hyn.

'Tydw i'm yn coelio, beth bynnag!' mynnodd, er mwyn ceisio lliniaru'r cryd a oedd newydd saethu i fyny ei war. 'Mi fedra i newid 'yn ffawd eniwe, gallaf?'

Gwyddai'n syth ei fod wedi dweud y peth anghywir. Ysgwyd ei phen yn rhythmig wnaeth hi. Fel petasai wedi dweud y peth gwaethaf un wrthi. Dechreuodd hi adrodd, bron fel mantra, 'Mae ffawd yn deud bod trefn naturiol yn y cosmos. Fedri di ddim amharu ar y drefn!'

'Gin i ddewis, siŵr.' Roedd y geiriau wedi dianc o'i geg cyn i'w feddwl fedru eu stopio.

'Ella bod gynnon ni i gyd y *gallu* i ddewis, ond 'dan ni i gyd yn dewis un llwybr yn y diwedd. Ac ma'r llwybr yna'n rhan o ffawd sy'n bodoli ers cyn cof...'

Ond doedd Mathew ddim yn coelio bod y cyfan wedi'i drefnu eisoes. Onid ei feddyliau a'i weithredoedd o oedd yn rheoli ei ffawd? Roedd hi'n dechrau codi ofn arno erbyn hyn ac roedd o eisiau gadael y garafán a'i hawyrgylch fyglyd.

'Dim ond rhith ydi ewyllys rydd, Mathew.'

'Sut 'dach chi'n gwybod 'yn cnw i?'

Anwybyddodd ei gwestiwn wrth barhau â'i llith, 'Y cwestiwn sy'n codi'n aml ydi... be taswn i'n mynd yn ôl ac yn gwneud hyn? Wel, ma'r cwestiwn yn ddibwrpas oherwydd mae'r dewis *wedi*'i wneud. Oes, mae gennym ni i gyd nifer diddiwedd o ddewisiadau ond y gwir amdani ydi bod yn rhaid i rywun wastad ddewis un. Does dim ffordd o newid y dewisiadau a wnaethon ni, na'r dewisiadau 'dan ni'n mynd i'w gwneud, oherwydd 'dan ni bob amser yn sownd yn y presennol.'

''Swn i'n licio mynd rŵan.' Cododd, gan ei fod eisiau dianc o'i bresennol.

Ond safodd i'w rwystro.

'Perthynas, achos a chanlyniad ydi o i gyd: mae'r dewisiadau 'dan ni'n eu gwneud o ganlyniad i ryw achos. Tra bydd 'na achos, mi fydd canlyniad.'

'Bôls!' meddai heb feddwl. 'A dim rhei *crystal* dw i'n 'i feddwl...'

Camodd i adael. Sgwariodd hithau o'i flaen.

'Ma'n rhaid dy fod ti'n coelio rhywfaint neu faset ti ddim yma!'

Hi a'i chliwiau cryptig. Roedd hi'n dweud pethau a fedrai olygu unrhyw beth.

'Gwylia di am y dylanwad benywaidd,' rhybuddiodd, a'i llygaid yn gynddeiriog. 'A'r *synchronicity*. Y cyd-ddigwyddiadau. 'Dach chi wedi'ch clymu.' Roedd ei llygaid yn erfyn arno. 'Dw i'n gweld poen.'

'Calliwch, newch chi!' gwaeddodd, cyn ei hyrddio o'r ffordd a dianc i'r awyr iach.

Roedd o wedi rhuthro i ganol y ffair ymhell oddi wrth y garafán cyn sylwi nad oedd o wedi talu ceiniog i'r seicig. Gweld poen, wir. *Hi* oedd wedi achosi poen iddo fo. Dychmygai wahanol fersiynau ohono'i hun yn gwneud llawer o benderfyniadau bob eiliad o bob dydd ac roedd ei feddwl ar garlam gwyllt pan ddaeth Lara ato, a'i llygaid hithau'n wyllt.

'Fa'ma w't ti!'

'Ia.'

'Diolch am ddeu'tha fi. Rhaid i fi roi chdi ar *lead* tro nesa.'

'Sori.'

'Ti'n iawn?'

'Yndw. Jyst 'nath hi chwalu 'mhen i, braidd.'

'Be ti'n ddisgwyl? Ffrîcs 'dyn nhw i gyd. Wâst o bres.'

''Nes i'm 'i thalu hi.'

'Dyna pam 'nest ti redeg o 'na?'

Cododd ei ysgwyddau a gwenu. Chwarddodd hithau. Clywodd ddirgrynu yn ei boced a damniodd fod ei fam yn mynnu ei blagio bob tro roedd o yng nghwmni Lara. Roedd o'n ofni ei bod hi'n meddwl ei fod o'n rêl *saddo*.

'Ateb o, wir,' meddai hithau'n syrffedus, pan ganodd am y trydydd tro.

'O'r diwedd, Mathew!' sgrechiodd ei fam.

Gwenodd Lara wrth i Mathew rowlio'i lygaid yn syrffedus.

'Hai, ti'n iawn?'

'Ym… mi fysa'n well i ti ddod adra,' meddai ei fam yn bwyllog.

'Pam?'

Saethodd ias i lawr ei feingefn pan glywodd ei hateb.

*

Roedd y tân wedi'i ddiffodd erbyn i Mathew gyrraedd adref ac roedd ei dad yn cysgu fel ci ar lawr y gegin. Ofer fyddai ceisio ei symud, roedd o fel darn o blwm. Yr unig beth y gallasai ei wneud – ar ôl gostegu hysteria ei fam – oedd nôl blanced a'i rhoi drosto.

Wrth estyn am y swits golau, edrychodd eto ar lun priodas ei rieni ger y ffenest. Sylweddolodd fod y ddau'n gwenu'n gariadus a bod golau gwahanol yn llygaid ei fam bryd hynny.

Erbyn hyn roedd o wedi stopio chwilio am reswm pam bod ei dad fel roedd o. Efallai am nad oedd o wedi adnabod unrhyw fywyd gwahanol. Roedd o'n meddwl bod pob hogyn bach wedi gorfod smalio nad ei dad oedd y dyn simsan fyddai'n gweiddi'n rhy groch ar ochr y cae pêl-droed. Credai fod tad pob bachgen pump oed yn cyrraedd yn hwyr i Ddrama'r Geni gan faglu a rhegi wrth ffeindio nad oedd dim lle yn y llety. Tybiai fod pob plentyn wedi gorfod llusgo'i dad oddi ar y lawnt yn y glaw wedi iddo fethu â chyrraedd ei wely – a chael ei regi am fentro allan i'r glaw yn ei byjamas. Er iddo synhwyro bod rhywbeth o'i le, doedd o ddim wedi gallu gwneud synnwyr ohono. Ddim hyd yn oed ac yntau bellach yn oedolyn.

Cofiai ei ben-blwydd yn bedair oed, ac yntau wedi cael pêl yn bresant gan ei dad. Oherwydd dyna oedd tadau i fod ei brynu i hogia – pêl-droed. Ac roedd o'n cofio gwirioni fod Dad wedi dod adra'n arbennig i'w weld o ar ei ben-blwydd. A gwirioni ei fod o hyd yn oed wedi chwarae efo fo am awr, cyn blino, eistedd ar y bêl, ei byrstio a rhechan 'run pryd. Roedd o'n cofio chwerthin nes ei fod o'n sâl. Cofio dweud wrth ei fam, pan aeth hi â fo i'r gwely, mai dyna'r pen-blwydd gorau gawsai o erioed, ac yntau'n methu deall pam fod briw dros ei llygaid wrth iddo ddweud hyn wrthi. Rai blynyddoedd yn ddiweddarach y daeth i ddeall mai ei fam oedd wedi prynu'r bêl a'i bod hi wedi gorfod rhoi ei gŵr yn ei wely toc wedi iddi hi gusanu nos-da i'w phlentyn.

Wrth fynd i'w wely'r noson honno, cafodd Mathew ei atgoffa o friw ei fam. Y briw nad oedd yn gwella. Roedd ebychiadau dagrau'r briw hwnnw o'r stafell drws nesaf yn rhwystro ei gwsg.

Dydd Sul

'Sbia golwg,' meddai Efa, wrth edrych ar y wal.

'Yr orau eto,' ategodd yntau.

Symudodd Efa oddi yno i hel y magnedau du oddi ar ddrws y rhewgell fesul un.

'Ti'n meddwl 'neith o dalu i fi fynd 'nôl i Thailand? A Ciwba, Mecsico a Seland Newydd?'

Roedd arfbeisiau ac anrhegion ei theithiau byd-eang yn llanast o greithiau wedi'r fflamau. Wedi toddi'n un swp plastig.

'Paid anghofio Blackpool,' cynigiodd Mathew yn hwyliog, gan basio'r magned inja roc a brynodd o, i ymuno â'r pentwr yn y bin.

'Bydd Mam yn gweddïo am insiwrans yn y capel heddiw,' meddai Mathew.

'Gweddïo am rwbath arall fyswn i,' brathodd hithau.

Cododd Mathew ei ben a gweld ei chwaer yn sgwrio'r cysgodion du oddi ar y wal. Roedd hi fel petasai'n trio sgwrio mwy na'r staen, a ddaliai i aros yno er gwaetha'i hymdrechion. Yna gwelodd y flanced yn gwlwm ar y llawr gerllaw'r peiriant golchi.

'Lle mae o rŵan?'

'Sbia yn y geiriadur. Dw i'n meddwl y gwnei di'i ffeindio fo o dan 'c' am cachwr.'

'O'n i ar fin sbio ar 'p' am pen rwd,' ymunodd yn y gêm.

'Neu tria 'u' am *useless*.'

Chwarddodd y ddau a chlywsant y drws cefn yn clepian ei atalnod llawn ar eu catharsis.

Ar ôl derbyn nad oedd posib tacluso'r llanast, eisteddodd Mathew yn y lolfa er mwyn gwylio'r teledu. Ceisiodd ymgolli yn y rhaglen ond roedd y bwrdd gwyddbwyll wrth ymyl y set deledu yn mynnu mynd â'i fryd. Cofiodd am yr adeg pan wnaeth ei dad geisio'i ddysgu sut i chwarae wedi iddo'i gael yn anrheg gan Siôn Corn ac yntau'n stryffaglu i ganolbwyntio wrth i dafod dew ei dad geisio egluro fod gwyddbwyll, fel bywyd, yn 'llawn tactegau a strategaethau yn cynnwys agoriad, y tir canol a'r diweddgan.' Ac er iddo ddeall y cysyniadau ehangach hyn, wnaeth ei dad erioed aros yn ddigon hir i egluro'r symudiadau iddo. Roedd Mathew eisiau iddo ddangos yn ymarferol, gam wrth gam, sut roedd chwarae. Ond wnaeth o erioed mo hynny ac roedd y gêm, fel ei dad, yn dal yn ddirgelwch iddo.

Fel geiriau'r seicig neithiwr. Pos arall. Roedd y cyfan yn un cawdel mawr o gyd-ddigwyddiadau, doedd bosib? Cododd i'r llofft i strymio'i gitâr, gan obeithio y byddai cerddoriaeth yn tynnu ei feddwl i gyfeiriad arall. Roedd nodau'r gitâr bob tro yn medru sibrwd pethau na allai Mathew ffeindio'r geiriau iddyn nhw. Roedd cerddoriaeth yn ddihangfa iddo ers yr ysgol gynradd pan sylweddolodd fod y rhai a chwaraeai offerynnau yn cael colli gwersi cyn y cyngerdd Nadolig. Fel bron i bob plentyn arall a oedd wedi cychwyn drwy chwarae'r recorder ac wedi datblygu mor bell â 'Kum Ba Yah', roedd wedi hen ddiflasu erbyn cyrraedd saith mlwydd oed. Dechreuodd chwarae'r ffidil tan iddo ymuno â'r gerddorfa a gweld bod genod delach yn chwarae'r gitâr.

Roedd yr un peth yn wir hyd heddiw, oherwydd wrth iddo strymio'n ddigyfeiriad y derbyniodd yr alwad ffôn gan Lara.

'Hai. Ti ffansi cyfarfod yn y ffair? I ddathlu bod Nemo wedi byw yn hirach na diwrnod?'

'Nemo?'

'Y pysgodyn aur 'de, idiot!'

'Pwy wyt ti'n ei alw'n idiot?'

Roedd hi'n swnio'n eiddgar iawn i'w weld o, oedd yn beth da gan ei fod o'n eiddgar iawn i'w gweld hitha hefyd.

'Ddo i nôl chdi os ti isio,' cynigiodd Mathew yn ystyriol.

'Na, ma'n iawn, 'sti.'

'Pam? Ti'n ffeminist?'

'Dw i yma'n barod.'

Brysiodd ar ei draed yn sionc.

'Efo pwy oeddat ti'n siarad rŵan?' Saethodd ei fam y cwestiwn ato, wrth iddo agor y drws i adael.

'Neb.'

'Pam ti'n gwrthod deud?' holodd wrth dynnu ei chôt orau.

'Dydw i ddim.'

'Pwy oedd yna 'ta?'

'Cai. Dw i'n mynd allan, iawn?'

Neidiodd Mathew i lawr y grisiau cyn i'w fam gael amser i wrthwynebu. Ond nid cyn iddi ymestyn ei phen dros y canllaw a gweiddi ar ei ôl, 'Ffonia os gweli di dy dad, iawn. Plis?'

'Iaw-yn.'

'A chofia fi at dy gariad.'

Safodd yn ei unfan.

'Hi oedd efo chdi ddoe, ia?' meddai ei fam, gan barhau o weld ei bod wedi hoelio'i sylw.

Carlamodd ei feddwl wrth geisio deall: doedd o heb sôn wrth Efa. Fyddai ei dad byth yn cofio, felly sut...?

'Rhys Drws Nesa,' gwenodd ei fam arno a wincio'n chwareus.

Wrth adael am y car, sylweddolodd Mathew nad oedd o wedi gweld ei fam yn gwenu ers tro.

*

Ar ôl ychydig funudau, wrth arogli gwallt Lara ar reid y Chwip, roedd Mathew wedi'i adfywio. Ond yr un mor sydyn ag y diflannodd ei ofnau, fe ddaliodd bâr o lygaid caled yn eu gwylio'n cofleidio. Daniel Morris. Rhaid fod Lara wedi'i weld hefyd oherwydd fe'i tynnodd yn ddiplomataidd i'r cyfeiriad arall. Eto, roedd rhyw anesmwythyd yn yr awyr ac er ei fod yn cadw'n glir o'r cafalanau roedd yn teimlo fel petasai rhywun yn ei ddilyn.

Cynyddodd ei aflonyddwch pan oedden nhw'n bwyta'u *hamburgers*. Efallai mai oherwydd ei fod o wedi gollwng sos coch ar hyd ei wyneb y cychwynnodd y sgwrs o gwbl.

'Golwg!' chwarddodd Lara, gan dynnu ei bys ar hyd ei foch, cyn ei ddilyn â sws.

'Nhw sy 'di rhoi gormod o stwff yn y fynsan. Sbia!' meddai Mathew, yn tynnu'r caead oddi ar ei rôl a dangos yr haenau o gaws a chig a bacwn. 'Fydda i 'di ca'l hartan neu strôc ar ôl gorffan hon!'

Mi fyddai'n well petai o wedi cau ei geg. Y gair strôc oedd wedi achosi'r cyfan.

'Gin i stori od i chdi. O'n i'n darllan y llyfr 'ma nithiwr...' crychodd Lara ei thrwyn, a gorffen cnoi. 'Mi gafodd y boi 'ma o'r enw Marcus Garvey strôc. O'dd o'n foi reit enwog am rwbath... rhwbath i neud efo Affrica...'

'Ma'n lle mawr, 'sti...'

'*Anyway*, er bod o 'di dod dros 'i strôc a 'di byw, mi nathon nhw gyhoeddi yn y papur bod o 'di marw.'

'Paid â mwydro...'

'Mae 'na fwy. Nid dyna'r diwedd. Mi wnaethon nhw'i ddisgrifio fo fel boi *'broke, alone and unpopular...'* Gath o gymaint o sioc wrth ddarllen hynna yn y papur nes gath o strôc go iawn a marw!'

'O'dd o 'di bwyta gormod o *hamburgers* yn sbyty?'

'*Synchronicity* ma'n nhw galw'r peth...'

'Be ddudis di?'

Bu bron iddo fo dagu.

'*Synchronicity*. Paid â gofyn i fi be ydi o yn Gymraeg.'

'Sut ti'n gwbod am *synchronicity*?'

Mi aeth hi'n ofnadwy o flin pan soniodd o am y seicig. Dychrynodd Mathew pan wnaeth hi ei gyhuddo o dorri ar ei thraws a mynd ymlaen ac ymlaen am y ddynes wirion. Ond roedd hi'n dweud y gwir. Ac roedd 'na ryw olwg drist arni heddiw, sylweddolodd Mathew.

'Ti'n iawn, w't?' gofynnodd, pan welodd fod ei hagwedd wedi meirioli tipyn.

'Dw i'n grêt pan ti ddim yn *obsessed* efo petha gwirion.'

'Ti ffansi mynd am sbin?'

Roedd hi'n falch o'r cynnig i ddianc. Gwelodd Mathew hynny'n syth. Roedd o'n sicr wedi synhwyro rhyw densiwn rhyngddi hi a'i chyn-gariad, felly roedd o'i hun yn reit falch o adael. Doedd o ddim yn ffansïo cweir gan Daniel Morris, yn enwedig ar ôl iddo ddal Lara yn codi un bys beiddgar arno.

Parciodd y car ar drwyn y Foryd lle roedd y dŵr yn llawn sioncrwydd wrth ymuno â'r môr mawr. Edrychodd ar y tonnau gwyllt blith draphlith, yn brwydro yn erbyn ei gilydd yn beryglus. Roedd y cerrynt yma'n traflyncu ac roedd angen gofal ar unrhyw longwr wrth lywio trwy'r dŵr.

Ond cyn iddo gyfarwyddo'n llawn â'i amgylchedd roedd golygfa arall o'i flaen. Golygfa oedd yn rhagori o lawer ar unrhyw olygfa arall: Lara. Roedd nwyd yn ei chusan heddiw wrth iddi sugno'i wefusau'n fedrus. Saethodd cryd i lawr ei gefn wrth i'w dwylo oer ymbalfalu o dan ei grys-t am ei noethni. Agorodd yntau ei chrys hi i dalu'r pwyth yn ôl.

'Gweld sut ti'n licio fo...' sibrydodd cyn clywed ei hebwch yn ei glust wrth iddo dylino'r cynhesrwydd meddal.

Roedd o bron â ffrwydro, tan iddo godi'r fest fechan

oedd ganddi o dan ei chrys. Yn hytrach na chyffroi, rhewodd ei gorff mewn arswyd wrth edrych ar y darlun du oedd wedi'i naddu ar ei chroen gwyn. Ar ochr ei bol roedd ffenest gymesur, gydag wyth panel o wydr. Ffenest ar agor, fel ei freuddwyd. Caeodd Mathew ei lygaid yn wyllt, a cheisio atal ei feddwl rhag dychwelyd i'r ddelwedd frawychus arall a welodd yn yr un freuddwyd. Ond roedd y ddelwedd o'i dad yn llenwi ei feddyliau ac er fod Lara'n dal i'w gusanu tynnodd o 'nôl. Roedd y cyfan yn ormod. Yn sydyn roedd y cyfan yn teimlo'n anghywir.

Syllodd ar y tatŵ ar ei hochr a chododd cyfog o'i berfedd.

'Ddim yn licio fo w't ti?'

'Na. Ma'n iawn... jyst...'

'Meddwl bod o'n goman...?'

'Naci siŵr...'

Ond cyn iddo gael cyfle i egluro, agorodd ddrws y car a thaflu i fyny. Roedd ei wddf yn llosgi.

'Gosh. Ti'n iawn?'

Ysgydwodd ei ben, cyn trio egluro wrthi bod gwirionedd yn mhob peth roedd y seicig wedi'i ddweud wrtho dros y dyddiau diwethaf. Roedd 'na arwyddion: y freuddwyd, y ffenest, y sôn am *synchronicity*...

'Ma 'na rhyw gysylltiad rhyngddon ni... w't ti ddim yn 'i deimlo fo?'

'Dim rŵan,' meddai hithau'n brathu'n bwdlyd.

'Ma 'na rwbath yn mynd i ddigwydd, 'sti,' mynnodd Mathew yn synfyfyriol.

'Dim p'nawn 'ma. Mi *roedd* 'na rwbath yn mynd i

ddigwydd, ella,' meddai hithau'n goeglyd wrth wisgo ei chrys a dringo 'nôl i sedd y teithiwr.

'Sori. Ond ma'n rhaid i fi fynd.'

Sibrydai holl wirioneddau'r seicig yn ei ymennydd gan adleisio'n eco dychrynllyd yn ei ben. Roedd hi wedi'i ddychryn o'i ffitiau. Roedd rhyw arwyddocâd i bob peth a ddywedasai hi wrtho ers y noson gyntaf honno. Doedd ond un peth amdani...

Mynnodd Lara ei bod hi am gerdded yn ôl. Gwyliodd hi'n mynd yn llai ac yn llai yn nrych y car tan na fedrai o'i gweld hi ddim mwy. Lara bengaled. 'Ta fo oedd yn bengaled?

Cnociodd a chnociodd ar ddrws y garafán. Pan na chafodd ateb, ceisiodd hyrddio'r drws ar agor. Ond doedd dim symud ar y drws, dim smic o'r tu mewn a dim golwg o'r seicig. Dechreuodd amau popeth yn fwyaf sydyn. Pam ei fod o yma? Pam y gadawodd o Lara? Lara, ochneidiodd. Roedd o'n sicr ei bod hi'n meddwl ei fod o'n rêl ffrîc bellach. Ceisiodd ei ffonio ond yr unig ateb a gafodd oedd llais ei pheiriant. Erbyn hynny doedd o ddim yn gwybod mewn gwirionedd be roedd o eisiau ei ddweud wrthi. Gyrrodd am adref a'i galon hurt yn ei sgidiau. Wrth i'r nos dywyllu edrychodd i fyny ar yr awyr glir uwchben y castell. Roedd o wedi cael digon ar y sêr a'r seicics a'r sodiac. Dewr a di-ofn fel Aries, ddywedodd hi? Roedd o'n sicr yn ben dafad.

Dydd Llun

Yn y bore bach, darganfu ei fam yng nghanol y tŷ gwydr yn troi'r pridd ac yn dyfrio'r planhigion.

'O'n i'n dechra meddwl bo chdi ar goll 'fyd!' meddai Mathew.

Stopiodd arddio, troi ato a gwenu.

'Fysa fiw i mi, Mathew bach… '

'Dim syniad lle mae o?'

Ysgwyd ei phen wnaeth ei fam, cyn parhau i droi'r pridd.

'Shifft Efa heddiw,' eglurodd Mathew, cyn cynnig paned iddi.

Ymunodd â hi ar y fainc ger drws y tŷ gwydr. Roedd hi'n fore oer a gwlithog unwaith eto. Er bod y cysgodion yn hir fel y ddau ddiwrnod cynt, roedd yr haul yn sbecian y tu ôl i'r coed yn barod i feirioli'r dydd. Wrth sipian ei goffi'n hamddenol, sylwodd fod ei fam yn gwylio pry copyn uchelgeisiol yn adeiladu gwe rhwng ei phlanhigion tomatos. Roedd gwên lonydd ar ei gwefusau, fel petasai wedi'i swyno gan ddyfalbarhad a hyfdra'r pry copyn. Estynnodd Mathew ei law, ond ataliodd ei fam o, cyn iddo gael cyfle i'w chwalu.

'Gad o,' meddai'n bendant.

'Ti'n mynd i ada'l i'r pry copyn f'yta'r tomatos?' holodd yntau'n syn.

'Mae o 'di bod wrthi am hydoedd, y cr'adur,' oedd ei hunig ateb.

Yn nyfnder ei llygaid sylwodd mor ddiymadferth oedd hi wrth weld pob dim mor anochel, mor anorfod.

'Be ydi ei henw hi, 'ta?'

Crebachodd ei ysgyfaint.

'Pwy?'

'Ti'n gwbod yn iawn pwy,' gwenodd.

Oedd, mi roedd o'n gwybod. Gwybod ei fod o wedi sbwylio pob dim neithiwr.

'Lara.'

'Ma hon yn sbesial, tydi?'

Gwenodd. 'Yndi.'

'Dal di dy afa'l os ti'n hapus,' gafaelodd ei fam yn ei law.

Wrth iddi godi, trodd i estyn am y dyfriwr oddi ar y llawr. Trodd y pig ar echel fel *strimmer* torri gwair gan fachu yn y gwe. Gwyliodd y ddau y pry copyn yn troelli'n wyllt ar ei linyn olaf. Gwelodd Mathew ei goesau'n crafangu yn y gwacter, gan abseilio'n ddeheuig trwy'i armagedon. Ar ôl llonyddu, trodd y pry copyn er mwyn asesu'r difrod cyn dechrau ailadeiladu.

*

Yn union fel ddoe, pan wyliodd hi'n mynd yn llai ac yn llai, cyflymodd ei galon pan welodd Lara'n dod yn nes ac yn nes ato ar hyd y coridor yn yr ysgol. Roedd y tawelwch yn awgrymu ei bod hi'n dal yn flin efo fo.

'Ydi Nemo 'di g'neud hi i'w drydydd diwrnod?' holodd, mewn ymgais i brofi'i hwyliau.

'Pam na 'nei di ofyn i dy blydi seicig?' chwyrnodd hithau, heb edrych arno.

Medrai Mathew weld ei bod hi'n flin. Gwnâi hynny'n hollol amlwg. Eto roedd hyn yn gwneud iddo'i hoffi hi fwyfwy a difaru fwyfwy iddo fod yn gymaint o ffŵl neithiwr.

'Gwaith caled,' cynigiodd Cai fel cysur, wrth weld Lara'n cerdded i ffwrdd yn rhewllyd. 'Ddudish i o'r dechra.'

'Weithia mae o'n werth o,' dywedodd Mathew yn ei feddwl, cyn sylweddoli ei fod wedi'i ddweud yn uchel. Rhannodd yr hogia wên wybodus.

'Ti 'di ca'l 'gwobr' am dy holl waith, 'ta?' holodd Rhys.

'Bron iawn.'

'Bron iawn yn dda i ddim, nac'di?' gwenodd Cai. 'Un ai ti wedi, neu ti ddim. Does neb byth yn cofio am rwbath sydd 'bron iawn' â digwydd.'

'Paid â deud hynny wrth Tim Henman!' meddai Rhys yn wybodus. ''Neith pawb wastad 'i gofio fo fatha'r boi o'dd 'bron iawn' ag ennill Wimbledon.'

'Deud ti!' chwarddodd Mathew. 'Sut w't ti'n gwbod gymaint am genod a chditha 'rioed 'di ca'l mwy nag un dêt yn dy fywyd?'

'Darllan dw i, 'de? A gwatsiad petha ar y we.'

Chwarddodd Mathew, 'Ma 'na wahaniaeth rhwng gwatsiad rwbath a'i neud o!'

'Neu peidio'i neud o, ia mêt?' atebodd Cai yn ddireidus.

Os nad oedd o'n siŵr be oedd yn digwydd ym meddwl Lara wedi iddyn nhw gyfarfod ar y coridor, roedd o – a phawb arall – yn gwybod yn union sut roedd hi'n teimlo erbyn diwedd y wers Saesneg, wrth iddyn nhw drafod Macbeth.

'Sgin i'm mynadd efo fo, *fo* sydd wedi bod yn ddigon stiwpid i wrando ar dair *witch*. Ac wedyn mae gynno fo'r *cheek* i deimlo bechod drosto fo'i hun. Ma'r ffaith fod o'n gada'l i eiriau'r nytars effeithio arno fo yn dangos bod Macbeth yn wan, di-asgwrn-cefn a hollol hunanol!'

Roedd hi wedi hoelio'i llygaid ar Mathew wrth draethu'r cyfan. Dim ond wrthi hi roedd o wedi cyfaddef am y seicig a'i darogan. Dim ond y hi oedd yn gwybod bod y cyfan yn ei lethu. A dim ond y hi fyddai wedi medru manteisio ar y cyfle i wyntyllu ei meddwl ynglŷn â Mathew a chodi cywilydd arno o flaen pawb. Nid sôn am Macbeth oedd hi, ond sôn amdano fo. Roedd Lara'n gwybod yn union sut i'w frifo. Ar ôl camgymryd ei chaledi ymddangosiadol fel masg i guddio rhywbeth dyfnach – rhywbeth dyfnach y gallai ei adnabod ynddo'i hun – doedd Mathew erioed wedi teimlo mor unig.

Roedd o'n methu deall sut y medrai hi fod mor greulon ac roedd ei ddadrithiad ynddi'n gyflawn. Fedrai o ddim deall sut y gallasai pethau fod wedi newid mor sydyn mewn un noson ac yn sicr fedrai o ddim gwneud pen na chynffon o holl ddigwyddiadau'r penwythnos. Roedd o'n amau'r holl leisiau yn ei ben: ei dad, ei fam, Efa, y seicig, Lara, Cai a Rhys. Ond yn fwy na hynny i gyd, roedd o'n dechrau amau fo'i hun.

Penderfynodd fynd adref i geisio meddwl am atebion

ond nid y fo oedd yr unig un yno'n chwilio am ddatrysiad i we seicolegol. Yn hytrach nag amser i adfer ei hun a chynllunio ei weithredoedd, taflwyd mwy o gwestiynau ato pan welodd gar ei fam wedi'i barcio yn y dreif. Doedd hi ddim wedi mynd i'w gwaith. Roedd hi'n trio troi ei chefn arno pan gyrhaeddodd y tŷ yn ddirybudd. Ond gwyddai ei bod hi'n crio.

Torrodd ei galon wrth iddo afael amdani a'i theimlo'n gollwng yr holl feichiau y bu hi'n eu ffrwyno i'w goflaid barod. Roedd ei holl gorff yn ysgwyd mewn rhyddhad. Yr holl deimladau roedd hi wedi'u mygu'n rhy hir yn socian ar ysgwydd ei siwmper ysgol.

'Does 'na'm rhaid i chdi 'sti, Mam,' sibrydodd Mathew i mewn i'w gwallt, gan geisio ei suo â'i gysur, fel y gwnaethai hithau iddo fo ers ei ddyddiau yn y crud. 'Mi fysa pawb yn dallt.'

'Dw i'n gwybod, cariad,' roedd ei cheg yn gwenu ond ei llygaid yn llawn dolur.

Yng nghanol yr holl ddryswch roedd Mathew yn gwybod i sicrwydd hefyd – er cymaint y byddai'n taeru arni i'w adael – nad oedd unrhyw bwynt. On'd oedd hi wedi addo ar ddiwrnod eu priodas i aros efo fo 'mewn hawddfyd ac mewn adfyd'? Ac er mor barhaol oedd yr adfyd, roedd hi'n benderfynol o gadw at ei gair. Roedd ei dad wedi gafael ynddi hi yn yr un modd ag roedd y botel wedi gafael ynddo yntau. Y ddau o dan grafangau eu hobsesiwn eu hunain.

*

'Ma Dad yn deud roith o flew ar 'yn *chest* i!' chwarddodd Cai, wrth gymryd swig o'r botel.

Nid y *sloe gin* cartref oedd y ddiod fwyaf blasus yn hanes y bydysawd, ond roedd o'n ychwanegiad difyr at ddiflastod nos Lun ola'r ffair. Roedd dirfawr angen dihangfa ar Mathew ac aeth i'r afael â'r *sloe gin* â chwant mwy grymus nag arfer. Roedd yn chwilio am rywbeth.

Er gwaethaf ei chwilio dyfal, doedd y seicig ddim yno eto heno. Hi oedd yn rheoli – oedd *wedi* rheoli'i fywyd – ers eu cyfarfod cyntaf oll. Ond, fel arfer, wrth iddo fethu â ffeindio un, mi ffeindiodd y llall. A phenderfynu bod ganddo dir cadarn i holi Lara pam ei bod hi wedi'i wawdio o flaen pawb, a pham ei bod hi'n rhannu côn tships gyda Daniel, ei chyn-gariad.

'Dydi o'm yn gwybod am chdi a fi, del?' snortiodd hwnnw, a'i ael yn sboncio.

Suddodd stumog Mathew wrth weld yr effeithiau annelwig yn llygaid Lara.

'Deud wrth fo. 'Di o ddim yn nabod chdi fatha fi, nac'di?' heriodd Daniel eto.

'Ty'd,' arwyddodd Lara i Mathew ei dilyn.

Roedd o'n hanner gobeithio am ymddiheuriad, ond siom oedd yn ei ddisgwyl.

''Neith o ddim gweithio,' meddai'n bendant a'i llygaid cochion yn disgleirio.

'Pam... achos y fo?'

Ceisiodd ei hannog i gilio ymhellach i breifatrwydd ond cythrodd ei braich o'i grafangau.

'Naci, achos y fi.'

Am eiliad, roedd ei llygaid yn dweud un peth a'i cheg yn dweud rhywbeth gwahanol.

'Pa fath o ateb ydi hwnna?'

'Yr unig un sy gen i.'

Roedd golau gwahanol yn ei llygaid erbyn hyn. Golau wedi pylu a chaledu. Syllai arno mewn ffordd a oedd yn ddieithr i Mathew, fel petasai llen ddur yn gorwedd rhyngddyn nhw. 'Neith o ddim gweithio, medda hi wedyn, bron fel petasai hi'n trio ei pherswadio ei hun. Ond waeth beth a wnâi Mathew, roedd hi'n mynnu nad oedd dyfodol iddyn nhw. Roedd hi wedi pacio ei chesys meddyliol, gallai weld hynny yn ei llygaid.

Gadawodd hi, gan fethu deall pam roedd hi mor anwadal. Wedi mynd o un pegwn i'r llall fel deial gwynt. Clywodd ambell si yn y gorffennol ei bod hi'n ansad, ond y fo oedd yn simsanu rŵan, yn enwedig o'i gweld hi'n diflannu i galeidosgop y ffair efo Daniel Morris.

'Petha 'di mynd tits up go iawn efo tits?'

'Jyst cau hi, Cai.'

'Haws peidio sticio efo un, 'sti. 'Nes i warnio chdi.'

Roedd o'n llawn ystrydebau.

'Ti am ddeu'tha fi bod 'na fwy o bysgod yn y môr?' Ac roedd brath atgofus yn ei galon wrth feddwl am Nemo.

'Jyst cymra swig arall o'r *elixir*.' Estynnodd Cai ei botel mewn brawdoliaeth. 'Mi fyddi di'n teimlo'n well wedyn.'

Am unwaith, wnaeth o ddim gwrthod. Doedd un swig ddim yn ddigon heno, dyna'r drwg. Roedd Mathew eisiau mwy a mwy. Roedd o eisiau anghofio am Lara, am ei fam ac am ei dad. Roedd Cai yn iawn, mi roedd o'n teimlo'n well. Yn llai pigog. Ar ôl dogn helaeth o'r *sloe gin* roedd Mathew'n teimlo fel petasai ei holl synhwyrau yn un â'r ffair. Yn un â'r bywyd byrhoedlog, hedonistaidd. Am unwaith, roedd o'n ymroi'n llawn i'r mydr gwyllt a gwirion wrth i'r golau ymosod ar ei lygaid ac wrth i guriadau'r gerddoriaeth uchel ei feddiannu'n llwyr. Roedd o'n cofio chwarae *air guitar*, yn cofio neidio'n wirion bost a'i ben yn bownsio i rythm y gân, i rythm y *gin*, i rythm y ffair. Roedd y cyfan yn ddryswch pur, perffaith.

Ar y ceir clatsio, roedd o'n ffynnu y tu ôl i'r llyw, yn gapten ar ei gar. Yn waldio'n wargam-wyllt yn erbyn Cai, yn erbyn Rhys, yn erbyn y byd. Teimlai'n sownd mewn rhyw gêm gyfrifiadurol, yn bwrw i mewn i hwn, y llall ac arall heb deimlo dim. Hwyl roedd o eisiau, dim ond ychydig bach o hwyl. Ond doedd y gweithiwr ddim yn deall ei gwest a'r eiliad nesa roedd o wedi cael ei hyrddio gerfydd ei goler o'r sgwâr gyrru. Roedd o wrthi'n rhegi ei anlwc a'r anghyfiawnder pan glywodd lais cyfarwydd y tu ôl iddo.

'Hei, *chief*! Sbia golwg arna chdi!'

Gwenodd Mathew'n hurt.

'Golwg arna fi?!'

'Ia.'

'Wel... ma'r Russian 'di ca'l gafa'l arna i, dydi?' Poerodd y geiriau i wyneb ei dad. Yn adlais o'i esgusodion ei hun. Ac wedyn dechreuodd chwerthin, yn afrcolus, anorchfygol a thro ei dad oedd hi i edrych yn hurt ar Mathew.

'Dos adra, boi,' oedd ei gyngor gwych, tadol.

Chwarddodd Mathew. 'Ti'm 'di bod adra ers dyddia!'

Doedd o heb fod yno ers blynyddoedd, pe bai o'n hollol onest. Yr un mor sydyn â'r uchelfannau cynt, trodd chwerthin Mathew yn ddagrau. Roedd o'n chwerthin a chrio ar yr un pryd fel petasai o'i go.

'Stopia rŵan. Hen lol,' meddai ei dad, gan ei daro ar ei foch.

Ond roedd o'n methu stopio.

'Pam ddyliwn i wrando arna *chdi*?' heriodd Mathew, wrth ganfod llais i gur a fyddai'n gorcyn yn ei wddf fel arfer.

Pwy oedd o i bregethu wrth Mathew, meddyliodd? Doedd Mathew ddim yn gwybod pa gêm roedden nhw'n ei chwarae na beth oedd y rheolau. Petasai'n deall y rheolau, efallai byddai wedi deall beth oedd yn digwydd, deall beth fyddai'n dod nesaf. Roedd ei dad yn newid y rheolau bob gafael gan ddibynnu ar ei fympwy hunanol ei hun. Ond waeth beth fyddai wedi medru dysgu iddo, fyddai o ddim wedi rhag-weld yr hyn a ddigwyddodd nesaf. Glaniodd dwrn ei dad yn glewt ar ganol ei wyneb.

Mewn eiliad, roedd popeth wedi newid rhyngddyn nhw. Clywodd ebychiadau Cai a Rhys gerllaw yn tynnu gwynt trwy eu dannedd. Ond roedd pob gwynt wedi gadael ysgyfaint Mathew wrth iddo fwytho'i ên yn druenus.

Syllodd yn llawn cynddaredd ar ei dad. Yn disgwyl eglurhad. Yn disgwyl ymddiheuriad. Yn disgwyl rhywbeth, unrhyw beth. Ond roedd o'n dweud dim. Dim ond syllu'n ôl fel petasai'n edrych ar ddieithryn. Neu'n edrych mewn drych ac roedd oes o esgeulustod a chyhuddiadau yn y tawelwch dieiriau. Doedd dim byd i'w ddweud, dim i ddileu'r eiliad. Felly trodd Mathew i ffwrdd, gan fustachu dianc i goflaid y ffair. Ond er i'w ffrindiau weiddi arno ac er bod y stondinau yn enfys fyrlymus, roedd ei fyd yn ddu, a gwyn, a mud.

Trodd ei sicrwydd yn ansicrwydd. Ei hyder yn ddiffyg hyder. Doedd o ddim cweit yn siŵr pam, ond yn ei ymennydd niwlog, roedd y castell yn ei ddenu. Dechreuodd redeg. Rhedeg i ffwrdd o'r ffair a thuag at y castell. Crefai am ei goflaid ac am ei gadernid, crefu am y profiadau cyfarwydd hynny oedd yn ei glymu wrth ei hanes blaenorol, cyn i'r eiliad honno chwalu popeth rhyngddo a'i dad.

Rhedodd Mathew heibio i'r dyrfa a gwibio heibio i wên groesawgar Rhys Drws Nesa.

'Ti'n iawn?' gwaeddodd hwnnw ar ei ôl ond doedd Mathew ddim yn ymwybodol o'i gonsýrn wrth iddo anelu am Dŵr yr Eryr.

Roedd y grisiau yng nghorff y tŵr yn troi'n wrth-glocwedd. Ac yna, fel petaent yn rhoi rhyw arwyddocâd i gyrraedd y brig, roedd yr adran olaf yn troi'n glocwedd. Yn troi y ffordd arall: i ddrysu rhywun i feddwl a oedden nhw'n dringo i fyny neu'n dringo i lawr. Baglodd Mathew wrth newid cyfeiriad ac yna dechreuodd chwerthin yn afreolus wrth gofio cyngor ei dad am y grisiau i'r castell: yr unig gyngor o werth a gawsai ganddo erioed ac roedd o wedi'i anwybyddu. Neu wedi'i anghofio. Chwarddodd fel dyn o'i go ar eironi ei gorff cloff yn efelychu ei feddwl cloff. Ac eironi'r geneteg oedd yn ei uno yn ei anaf â'i dad: y ddau wedi baglu yn yr un lle, i'r un gelyn.

Roedd hi yno, yn disgwyl amdano. Brenhines y Rhawiau yn ei du nodweddiadol. Yn ddylanwad benywaidd, dinistriol. Roedden nhw wedi'u clymu wrth ei gilydd yn gydamserol. Yn syncronistig. Gwyddai lle i'w darganfod hi heno, yn union fel roedd hi'n gwybod lle i'w ddarganfod o ar y noson gyntaf honno yn y ffair. Ei ffawd. Hi oedd y seicig: hi oedd yn iawn.

Cynigiodd ddiod iddo ac mi dderbyniodd yntau. Doedd ganddo mo'r nerth i gwffio yn ei herbyn. Roedd yn ei natur, yn ei gynhysgaeth. Yn rhan o'r côd cyfrin oedd yn nodweddu pob cell o'i hanfod. Doedd dim pwynt brwydro yn erbyn anian. Anian ei dad. Medrai synhwyro diweddgan eu chwarae gwyddbwyll. Roedd y castell yn brwydro i warchod y brenin bregus.

Wrth edrych i lawr ar oleuadau'r ffair yn wincio dros y cei, simsanodd dan y gwayw yn ei droed. Roedd ei galon yn curo'n rhy sydyn. Yr adrenalin yn oren tanbaid fel cymylau'r machlud. Wrth fyseddu'r gwynt rhwng ei fodiau, roedd yn genfigennus o'r elyrch yn hedfan tua'r gorwel.

JOHN

Dydd Gwener

'Reit. Un arall, plis.'

Amseru oedd pob dim mewn bywyd, meddyliodd John. O'r eiliad y byddai un sberm arbennig yn uno efo un ŵy arbennig. Oherwydd hyn fyddai'n arwain at yr amser gorfoleddus pan fyddai rhywun yn dod i'r byd; i ble; pwy oedd ei deulu; a phwy oedd ei ffrindiau. Ac roedd y rhain i gyd yn ffactorau a arweiniai at ble'r oedd rhywun bob eiliad o bob dydd. Amseru. Roedd hi'n nodweddiadol fod Neil Crown a Bill Plymar 'di cerdded i mewn fel roedd hi'n amser iddo fo brynu rownd o ddiodydd.

'Seidar, ia Bill?'

'Dŵr, plis mêt.'

'Dŵr?' holodd, gan drio cuddio'i orfoledd. Roedd o ar ei newid mân olaf er nad oedd hi ond wedi troi deuddeg.

'Ma doctor 'di deud bod seidar yn ddrwg i'n stumog i,' cwynodd hwnnw gan rwbio'i gorffolaeth helaeth, cyn plannu ei hun ar y stôl wrth ymyl John.

'So? Ma dŵr yn rhydu peipia 'fyd,' dadleuodd John, a hynny yn erbyn ei boced ei hun.

'Seidar 'ta plis, John!'

*

Amseru oedd yn golygu mai fo oedd John, a Rob oedd Rob: fod Rob wedi cael ei eni hanner awr o'i flaen o.

Bod y naill a'r llall bob ochr i hanner nos. Bod y ffin wedi'i chreu hyd yn oed cyn i'r efeilliaid ddod i adnabod ei gilydd. Un eiliad oedd yn gwahanu dau ddiwrnod ond eto, roedd un eiliad yn ddigon. Yn ddigon i sicrhau bod Rob yn arweinydd a John yn dilyn. Fod Rob yn mynd â llythyrau adra o'r ysgol gan mai fo oedd yr hynaf, a'r hynaf oedd yn cymryd y cyfrifoldebau. Fod Rob ffracsiwn yn gryfach nag o mewn gêm o Submit: fod Rob, yn y diwedd, wedi dwyn ei dafod o.

Bu hyn yn anfantais fawr i John, yn enwedig pan fydden nhw wedi gwneud drygau. Methai â siarad, y geiriau'n gwlwm yn ei feddwl tra medrai Rob ddweud celwydd yn rhwydd. Rob oedd y cryfaf, felly fo oedd yr arweinydd. Roedd wedi brwydro pob brwydr dros ei efaill ac felly câi John drafferth i fynegi ei hun fel plentyn oherwydd fod ei holl fodolaeth ynghlwm yng ngwres tanbaid ei feddwl ei hun. Gwyddai y byddai dwrn a dannod yn ei ddisgwyl pe na byddai'n ildio i ddymuniad ei frawd. A phawb yn rhyfeddu fod John mor ddistaw o'i gymharu â Rob. Ond roedd llonyddwch a thawelwch ar yr wyneb wedi cuddio'r corddi cymhleth y tu mewn iddo. Tan iddo ffeindio ei gymdeithas…

*

'Ty'd y cwd, amsar talu!' estynnodd Neil Crown ei law yn gwpan awyddus.

'Neil ddylia brynu,' styriodd Bill, cyn troi at John. 'Mae o 'di prynu cwch!'

'E?' Tagodd John ar ei win.

'*Moby*,' cyhoeddodd Neil yn falch, yn dal i wthio'i law allan yn eiddgar tuag ato.

'*Moby*?'

'Ia.'

'Ar ôl y boi miwsig 'na?' chwarddodd John.

'Yr hen ffrîc *vegan* 'na?!' chwarddodd Bill.

'Ydw i'n edrach fatha rwbath fysa'n gwrando ar foi sy'n llyfu letys?' chwarddodd Neil.

'Ar ôl *Moby Dick* 'de, idiot,' setlodd Bill y mater.

'Am bo chdi'n dew fatha morfil?' ychwanegodd John.

'Ti isio'r gwin 'na, 'ta be?' Cydiodd Neil yng ngwaelod y gwydr ond roedd John yn dal ei afael, fel rhyw hipopotamws meddiannol o'i afon.

'Dyro'r pres, cyn iddo fo bwdu,' meddai Bill Plymar yn gadarn.

'Di-olch,' meddai Neil gan wenu'n gam wrth i John dollti ei newid mân ar y cownter. 'Faint w't ti 'di ga'l? Ydi hi'n fain arna chdi'n barod?'

Cyfrodd Neil yr arian yng nghledr ei law. Roedd fel petasai rhywun wedi tollti ei gadw-mi-gei.

'Yfed i neud i *chi* swnio'n fwy difyr dw i,' brathodd John yn bwdlyd.

'Newydd gerddad i mewn ydan ni'r idiot!'

'Dw i isio cwyno am y toilets 'fyd,' datganodd John yn angerddol, wrth godi tua'r cyfeiriad hwnnw. 'Ma hi wastad yn dywyll yna.'

'Blydi hel, John. Unwaith ti'n symud, ddaw y gola *on* eto.'

'So dw i'n goro chwifio mreichiau fatha'r hen betha YMCA 'na i wbod lle i estyn am y papur?'

'Wyt,' meddai Neil, cyn troi at Bill a chwyno'i fod o 'di deud 'run peth wrtho bron bob dydd ers deufis.

Doedd gan John mo'r help nad oedd o'n dymuno cael ei gloi yn y tywyllwch. Roedd arno fo ofn tywyllwch ers pan oedd o'n fychan. Ond hyd yn oed rŵan, rhyfeddai wrth sylwi bod y llygaid yn medru dod i arfer efo tywyllwch. Roedd o wedi profi hynny yn stafell dywyll ei ffotograffiaeth. Roedd amseru'n hollbwysig yn fan'no hefyd, meddyliodd. A dweud y gwir, roedd amseru'n effeithio ar bob agwedd ar fywyd: ar y cyfraddau stoc, ar *stopwatches* mabolgampwyr, ar bob injan a pheirianneg. On'd oedd amseru comedïwr yn hollbwysig hefyd wrth ddweud jôc? Erbyn i John drefnu ei feddyliau am amser ac amseru, roedd golau'r tŷ bach wedi diffodd.

Pan gyrhaeddodd yn ôl i'w sedd, roedd boi 'run ffunud â Mick Jagger yn eistedd yn ei stôl.

'Hei! Fi sy'n fan'na,' meddai wrth 'Mick'.

'Iawn mêt, jyst ca'l 'i benthyg hi am eiliad wrth setlo pris heno efo Neil.'

'Dw i'n fêt i chdi, yndw?' heriodd John.

'Tad Mathew w't ti, ia?' Estynnodd 'Mick' ei law yn gyfeillgar. 'Dyl dw i. *Manager* y band.'

'O'n i mewn band stalwm 'sti, Mick.'

'Dyl,' cywirodd yntau. 'Dylan.'

Bob Dylan oedd o rŵan? holodd John ei hun yn syn, a fynta 'di meddwl yn siŵr mai Mick Jagger oedd o. Roedd y ddau'n denau ac efo gwalltiau hir, beth bynnag. Ond ella nad oedd ei wefusau o ddim digon mawr, chwaith, tybiodd John wrth dderbyn coflaid gyfarwydd y stôl yn ôl o dan ei ben-ôl.

''Nath hi droi'n gymaint o ffeit un noson yn Manchester, nes 'nath gwddw 'ngitâr i snapio i ffwrdd… Dyddia gwyllt, Mick bach, dyddia gwyllt,' a gorffennodd ei stori â llymaid mawr o'i win.

Mi adawodd Mick Jagger wrth i Steve Saer gerdded i mewn.

'Ydi hi'n bwrw, Steve?' holodd Neil o weld ei hwd i fyny.

'Pigo.'

'Ella bod dy gôt di'n wlyb ond ma'r gwin yn sych,' cododd John ei wydriad, cyn ei chwifio heibio i drwyn Bill, i ddangos ei fod o'n wag.

'Dre 'na'n llawn *skinheads* a *weirdos*.' Eisteddodd Steve wrth y bar.

'Bob amsar adeg ffair,' meddai Bill, gan glecio gwaddod ei seidr.

'Reit. Be gymrwch chi?'

'Hen lol.'

'Be, ti'm isio drinc?' holodd Bill, yn llawn anghredinedd.

'Oes, siŵr.'

'Be sy'n hen lol 'ta, John?' holodd Steve.

'Y ffair.'

'Pawb yn licio ffair, siŵr,' meddai Neil, gan estyn gwydrau glân i'r hogiau.

'Dw i ddim. Gormod o demtasiyna.'

Chwarddodd pawb ond roedd John yn dal i dantro.

'Rhith 'di o i gyd, dw i'n deu'tha chi. Rhith drud ar y diawl. Sediwsio chdi efo lliwia a gêma.'

'Ti'n iawn yn fan'na,' cydsyniodd Steve. 'Dalish i bron i ffeifar llynadd i fi a'r hogyn 'cw saethu.'

''Di'r *sights* byth yn syth ar y gynna 'na, 'sti,' rhybuddiodd John.

'Dy llgada di sy byth yn syth!' cynigiodd Bill.

'Dw i'n deu'tha chi,' taerodd, gan droi at ei ffrind. 'Ma'n nhw'n fficsio petha fel bo chdi'm yn ennill. Wâst o bres 'di o i gyd... '

'Ma John 'di deud rŵan, hogia! Neb i drio ennill dim byd yno heno... '

'Mi fysa'n waeth i ti ga'l hỳg gin Magi Hyll nag ennill rhyw deigar llipa sy'n drewi o'r jipsis, eniwe,' ychwanegodd John.

'Ha! Rhyw hogan ffair 'di ddympio fo rywdro, ma raid!'

Wnaeth John ddim ymateb. Roedd o'n cofio mynd hefo hogan ffair. Del oedd hi 'fyd. Hi ddywedodd wrtho fo bod ei thad yn symud y *sights* ar y gynnau i wneud yn siŵr na fyddai nemor neb yn ennill.

Canodd ei ffôn yn ei boced ond anwybyddodd yr alwad pan welodd mai Anna, ei wraig, oedd yno.

'Tair eiliad nes bydd hi'n ffonio fa'ma,' cyhoeddodd Neil, wrth ei weld o'n ymrafael â'i ffôn a'i gydwybod.

Ac fel seicig yn darogan ffawd, mi ganodd ffôn y Crown.

'Be dw i fod i ddeud wrthi?' plediodd Neil.

'Paid ag ateb. Ti'n brysur yn nôl un arall i fi, dwyt?'

Ffliciodd John ei wydr i ddangos i Steve ei fod yn wag ac estynnodd Neil am win arall iddo wrth daro golygon euog i gyfeiriad y ffôn.

'Dwi'm yn gwbod be ma hi'n 'i weld yn'a chdi, wir,' ysgydwodd Neil ei ben.

'Union yr un peth ag a welodd hi yn y dechra,' atebodd John dan wenu.

*

Mewn bar yn Llundain y cyfarfu ag Anna gyntaf. Bar anghyfreithlon. Roedd hi'n anodd coelio erbyn hyn y buasai Anna wedi gwneud unrhyw beth anghyfreithlon. Gweld ei gwddw hi 'nath o yn gynta. Fel un oedd wastad yn chwilio am y gweledol, mi welodd o'r siâp cain o bell. Suddo Havana Club a Coke oedd hithau ar y pryd ac yntau wedi gwirioni cymaint nes y tynnodd o'i llun hi. Mi waeddodd hi arno, *'Stop taking my photo!'*

'It'll cost you,' meddai John wrth nesáu ati, cyn ychwanegu'n gellweirus, *'A date?'*

Roedd o'n cofio gweld Anna yn troi at ei ffrind ac yn dweud, 'Be 'na i? Mae o'n dipyn o bishyn.'

'Chdi ydi'r pishyn,' meddai John wrthi.

Ac roedd o'n cofio'i hwyneb yn sgleinio'n goch mewn cywilydd.

'Ti'n siarad Cymraeg?'

Bryd hynny, doedd o ddim wedi siarad Cymraeg ers bron i flwyddyn.

Roedd hi a fo'n cydweddu i ddechrau. Y ddau'n mwynhau partïon tan eu bod yn gweld y wawr yn torri. Ond fatha ddeudodd Yeats, y drwg efo rhai pobl ydi pan nad ydyn nhw wedi meddwi, maen nhw'n sobor. Cyfnod oedd o iddi hi: cynhaliaeth oedd o iddo fo. Wedyn, mi roedd fel tasai rhywun wedi gwasgu'r botwm cyflymder cyflym ar fideo ei fywyd. Methai ddal i fyny â'r amser. Yr amseru. Y setlo. Y sugno i batrwm sefydlog. *Stasis*. Ar ôl cael plant roedd ei bywyd hi wedi newid, a'i fywyd o wedi aros yr un fath. Roedd hi'n methu mynd allan, a fo'n methu aros i mewn. Methodd yn ei gyfrifoldebau. Methodd deithio i dynnu lluniau. Methodd fyw i gydymffurfio â phawb arall. Methodd.

Dyna sut cychwynnodd y patrwm. Fo'n dianc rhag y cyhuddiadau a hithau'n ei ddwrdio am fynd. A'i dwrdio hi'n ei yrru i ddianc. Ond wedi llymaid bach, roedd o'n teimlo fel fersiwn gwell ohono fo'i hun. Doedd o ddim yn siŵr iawn sut aeth pethau cweit i'r eithafion roedden nhw rŵan, chwaith. Gormod wedi digwydd, neu heb ddigwydd ella. A hithau wedi troi at gymdeithas arall. Y ddau wedi aros ar eu rhythmau eu hunain nes gwrthdaro'n ansoniarus. Hi wedi ffeindio ei chrefydd a fo wedi ffeindio geiriau'r comedïwr Steven Wright – doedd hi ddim yn gyd-ddigwyddiad bod 24 awr mewn diwrnod a 24 can mewn cês. Os oedd o wedi trio bod yn fethiant ac wedi llwyddo, pa 'run oedd o bellach – llwyddiant neu fethiant?

I hogia'r Crown, dyn llawn damcaniaethau nid dyn ymarferol oedd o.

'Dw i'n gallu deud dy fod ti'n *chap* clyfar, John,'

meddai Bill Plymar. 'Ond ti'n g'neud dim byd efo dy allu.'

'Ôl y 'ngwaith i fyny fa'ma,' fyddai ei ateb o bob tro, gan bwyntio at ei ymennydd. 'Dim ar 'y nwylo i.'

Erbyn hyn, roedd John wedi'i berswadio ei hun ei fod o'n ymroddgar. Dyna nododd Mrs Lands, ei athrawes, ar adroddiad ysgol 'stalwm. Pan fyddai John yn penderfynu gwneud rhywbeth, roedd o'n ei wneud o'n iawn. Felly os oedd o wedi penderfynu yfed, roedd o am wneud hynny'n iawn hefyd: nid ei fai o oedd ei bod hi mor hawdd creu argraff arno, mor hawdd ei berswadio a'i fod o'n dilyn heb gwestiynu. Roedd Rob wedi sicrhau na fyddai o byth yn siŵr iawn o'i feddwl ei hun, beth bynnag, ac eithrio pan fyddai o wedi ymroi i'r achos a ddewisodd, doedd fawr o bendantrwydd yng nghymeriad John.

Ond erbyn i Neil Crown osod y gwin nesaf o'i flaen, roedd yr amseru'n golygu ei fod o'n ôl unwaith eto fel plentyn. Yn groes a dadleugar, fel y byddai o cyn i Rob ddwyn ei dafod. Yn medru dadlau bod du yn wyn neu fod gwyn yn ddu, nes anghofio am be roedd o'n dadlau. Ond dadlau efo fo'i hun oedd o. Roedd o wedi teithio'r byd am dipyn cyn bodloni ar deithiau ei feddyliau. Ond roedd y cosi yn y traed yn dal yno. Yn rhan o'i gynhysgaeth am byth. Fel hyn byddai ei dad o. Fel hyn roedd o.

Ac fel hyn roedd o pan ddechreuodd 'y petha ifanc' gyrraedd ar gyfer y gìg.

'Och! Oes blydi gìg yma heno?' holodd, wrth weld y lle'n llenwi.

'C'mon, John. Dylia chdi wbod. Ma dy fab yn y band!' Cododd Steve ei ael.

'O'n i mewn band 'stalwm, hogia... '

A chyn iddo gael dweud ei stori, roedd Neil – y diawl cegog ag oedd o – wedi gorchymyn iddo fynd am adref.

Gwyddai John yn union i ble roedd o'n anelu wrth faglu ar draws y Maes. Roedd y fodca ar *special offer* yn Spar. Mi fysa'n waeth iddo fod wedi prynu potel o fan'no yn y dechra yn hytrach na llenwi pocedi Neil Crown. Wrth daranu tuag at ei drydydd cartref (y Crown oedd ei ail) doedd o ddim cweit yn cofio pam roedd o'n flin efo Neil, er gwyddai ei fod o wedi dweud rhywbeth i'w bechu, neu mi fysa fo'n dal yno. 'Ta dod oddi yno oherwydd ei fod o'n sgint ddaru o? Doedd John ddim yn cofio.

Roedd o'n trio egluro wrth y dyn pwysig y tu ôl i'r cownter yn Spar fod ganddo bres yn y banc, ond nad oedd y banc ar agor.

'Tydi honna byth yn gweithio yma, John,' atebodd hwnnw, gan gofleidio'r ddwy botel roedd John yn eu deisyfu.

Y funud nesa roedd y dyn pwysig wedi ffonio rhywun ac roedd Anna ar ben arall y ffôn yn gofyn iddo ddod adra.

'Ia, mi ddo i rŵan,' addawodd yn ddidwyll.

'Addo?'

'Yndw.'

Roedd o'n meddwl hynny ar y pryd. Pasiodd y ffôn yn ôl i'r boi pwysig.

'Ma hi isio siarad efo chi.'

Gwyliodd John y cloc yn tician y tu ôl i'r boi pwysig wrth i'r cosi gynyddu ar ei fraich.

'Ma hi am dalu efo'i cherdyn un waith eto... '

meddai'r boi pwysig o'r diwedd, gan estyn am fag plastig. Gwenodd John.

'*Un* botel,' ychwanegodd y boi pwysig wedyn, gan roi'r llall o dan y cownter. Roedd ei lygaid yn feirniadol.

Bwriadai wrando ar Anna a mynd adref yn syth. Ond mae'n rhaid na ddaru o, oherwydd roedd ganddo rhyw gof o Yassin o'r siop kebabs yn rhedeg ar ei ôl am nad oedd o wedi talu am ei fwyd. Roedd blas garlleg a nionod yn ei geg wrth orffen y botel fodca. Doedd dim rhyfedd fod y Rwsiaid wedi dyfeisio fodca, meddyliodd. Roedd o'n teimlo'n oer ac roedd y fodca'n ei gynhesu o'r tu mewn. Fatha losbgows ei fam 'stalwm. Medrai deimlo'r gwres yn cychwyn o fodiau ei draed ac yn teithio'n araf, braf i fyny'i goesau ac i'w fynwes. Trwy'i wythiennau i gyd nes bod ei galon yn gynnes.

Roedd o'n hapus ei fyd, yn eistedd ar y fainc ac yn edrych ar y sêr. Teimlai'n rhydd. Yn rhydd oherwydd roedd o'n ymroi hyd yr eithaf i'r achos a ddewisodd o'i hun yn hytrach na dilyn yr hyn y mynnai pobl eraill iddo wneud. Ar ôl stopio rhoi pwysau arno fo'i hun, roedd yn deimlad braf medru rhoi ei egni i gyd i un peth. A'i achos dewisiedig o oedd yfed. Doedd dim llawer o bobl roedd o'n ei nabod yn medru gwneud yn union be roeddan nhw eisiau gwneud bob dydd. O leia doedd o byth yn cwyno am orfod codi'n fuan na mynd i waith nad oedd o'n ei fwynhau. Roedd o'n mwynhau bob dydd o'i fywyd hyd eithaf ei allu. Mi fedrai o wastad droi yn ôl at ei ffotograffiaeth, tybiodd. Dyna oedd yn dda am dalent. Roedd hi yno am byth yn disgwyl amdano, tasa fo'i heisiau. Ond y drwg oedd nad oedd o byth ei heisiau.

ddigwestiwn. Heb ei amau. 'Ta Efa oedd yn hoffi Albert? Dechreuodd amau ei gof ei hun.

Wrth iddo ganmol y golau a dechrau teimlo'n well, dyma Mathew yn gofyn pam nad oedd o'n tynnu lluniau rhagor? A pham na fyddai o'n tynnu lluniau o'r castell i'w gwerthu i dwristiaid? Ac yntau'n gorfod egluro mai astudiaeth o oleuni a thywyllwch oedd ffotograffiaeth: nid rhywbeth i'w farchnata ar gerdyn post. Roedd ffotograffiaeth iddo fo yn nodi amser, yn nodi eiliadau bywyd. Ac roedd ei ysfa i ddarganfod yr eiliad berffaith wedi'i yrru o at y dibyn: roedd cynifer o eiliadau mewn bywyd nes ei gwneud hi'n amhosibl i ddewis yr un iawn.

Roedd popeth wedi newid erbyn hyn, ac yntau heb ddilyn y datblygiadau diweddaraf ym myd technoleg. Dyna pam y bu'n well ganddo dynnu ei holl luniau mewn du a gwyn. Roedd o wrth ei fodd yn edrych ar y *contact sheet*, yn astudio sut roedd y golau yn newid, sut roedd y cysgodion yn amrywio o eiliad i eiliad. Ac weithiau, ar ddamwain, y byddai'n dod o hyd i'r eiliad orau.

Roedd ffotograff da yn medru rhewi amser, yn medru dinoethi rhywun. Yn medru datgelu rhywbeth neu ddangos rhywbeth nas gwelwyd o'r blaen, neu o leiaf nas gwelwyd cweit yn yr un modd o'r blaen. Felly doedd tynnu llun o gastell marw yn apelio dim at John. Pobl oedd astudiaeth ei ffotograffiaeth o, pobl ac anifeiliaid oherwydd yn y rheiny roedd yr enaid, a fedrai siarad ymhell ar ôl i'r eiliad honno basio. Yn y lluniau hynny roedd y creadigrwydd go iawn, nid mewn delwedd

Roedd o'n ddigon hapus yn ei fethiant ac yn teimlo'r heddwch yn goglais ei du mewn erbyn cerdded rownd y gornel at geg y stad. Tan iddo fethu mynd i mewn i'r tŷ. Er gwthio'r goriad a'i droi fel peth gwyllt, doedd y drws ddim yn agor. Rhegodd wrth i'r goriad dorri yn y clo. Ac yna, mi wawriodd arno: roedd Anna wedi newid y cloeon am na ddaeth o adref yn syth. Doedd hi ddim eisiau iddo ddod adref. Dyna oedd o'n ei haeddu, mae'n siŵr. Ond ni fyddai'r un o'i deulu yn gallu mynd i mewn rŵan, chwaith, oherwydd roedd hanner ei oriad o wedi blocio'r clo. Byddai'n rhaid iddi brynu clo arall. Rhegodd. Am wastraff arian. Mi fysa fo wedi medru prynu dwy botel o fodca efo pres fel'na a hithau'n gwarafun fforcio am un yn Spar gynnau.

Dydd Sadwrn

Roedd o wedi deffro, taflu i fyny, a bron â chael ei ladd erbyn naw o'r gloch y diwrnod canlynol. Deffrodd wedi'i rowlio'n belen, fel wiwer am y gaeaf. Symudodd i ymestyn ei ben-glin boenus. Roedd o wedi cyffio'n stiff pan welodd Neil Crown uwch ei ben a rhaw yn ei law.

'Blydi hel, John. Chdi sy 'na!' rhegodd hwnnw, gan ostwng ei arf.

'Blanced sâl oedd y tarpolin 'ma.'

'O, sgiws mi! Ga i gwilt o India i chdi erbyn y tro nesa!'

A diflannodd Neil i'r lan gan adael John yn dal i grynu. Ceisiodd gofio pam ei fod o ar gwch. Gwyddai ei fod o'n oer ac roedd o'n dymuno llymaid i'w gynhesu ond doedd dim ar ôl yn y botel wrth ei droed.

'Adra'n rhy bell, oedd?' gofynnodd Neil, gan eistedd gyferbyn ag o ar y dec.

'Yr hen Russian 'na 'di ca'l gafa'l arna i eto.'

Roedd sôn am y Rwsiad ffyddlon yn cynyddu ei ysfa am lymaid ohono. Ond paned o de gafodd o, o fflasg Neil. A'r munud nesa, roedd Mathew yno'n edrych i lawr arno.

''Nes i drio mynd adra,' ceisiodd egluro wrth i luniau llonydd o'r diwrnod blaenorol ddal i fyny ag o. Gwelodd olygfa ohono'i hun yn cael brecwast call efo'i wraig a'i ferch a hithau'n sôn am y teithiau a oedd newydd ddirwyn i ben iddi ond a oedd wedi dirwyn i ben yn llwyr

iddo fo. Efa eisiau dangos ei lluniau iddo ond erbyn i fynd i dwrio'n sionc i'w llofft roedd o wedi diflann i weld lluniau cyfarwydd trwy wydr hanner llawn hanner gwag ei beint. A gwybod iddo greu gelyn arall o' waed ei hun. Roedd y lluniau eraill wedyn fel petaent ar gyflymder cyflym tan y gwelodd olygfa ohono'i hun yn torri'r goriad yng nghlo Nerys Drws Nesa.

'Oedd Mam yn flin?' holodd, a dynwared ei hwyneb dwrdio.

Wrandawodd o ddim ar yr ateb. Gwyddai'r ateb heb orfod gofyn. Roedd heddiw'n ddiwrnod newydd, wedi'r cyfan. Roedd o ffansi mynd â'i fab am dro ar hyd y cei, i siarad ac i edrych ar y castell. Ond fo oedd yn gwneud y rhan fwyaf o'r siarad ac yn trio penderfynu ai oed neu drwgdeimlad oedd yn gyfrifol am dawelwch ei fab.

Roedd hi'n heddychlon iawn wrth iddyn nhw eistedd yn gwrando ar sisial y tonnau'n llyfu'r cei, ac roedd llonyddwch natur wedi treiddio a chreu llonyddwch ynddo yntau hefyd. Gwyliodd yr elyrch yn nofio'n lluniaidd yng ngolau cain y bore.

'Ti'n cofio Albert, yr alarch du?' meddai, wrth ddeffro o'i swyngyfaredd.

Edrychodd Mathew yn od arno. Roedd John bron yn siŵr fod Mathew wedi gwirioni hefo Albert pan oedd o'n fychan. Byddai o'n rhoi ei law i mewn trwy lawes ei siwmper a siarad efo fo fel pyped. Eglurodd sut y byddai'n peintio ei fys a'i fawd yn goch, weithiau, i wneud iddo edrych yn gredadwy. Ond doedd Mathew ddim fel petai'n cyffroi wrth hel yr atgofion. Daeth hiraeth dros John am y dyddiau pan fyddai ei fab yn derbyn ei eiriau'n

unffurf oedd i'w chanfod ar bob stand gardiau post yn y dre.

Roedd Mathew fel petai'n deall hynny pan oedd yn blentyn. Byddai John wrth ei fodd yn dod adref a gweld llanast ei ddychymyg ifanc yn baent bob lliw yn sychu ar y rhewgell. A Mathew yn fwrlwm wrth sôn mai'r peth mawr coch yn yr awyr oedd y deinosor hud a fyddai'n mynd â fo i weld Efa yn ei thŷ Maltesers. Ac wedyn y siom i John pan ddaethai yn ôl o'r ysgol gynradd yn cario ei luniau o dai, gyda drws yn y canol a dwy ffenest bob ochr a haul melyn yn y gornel dde, oherwydd dyna oedd y confensiwn a ddilynwyd yno. Er nad oedd o'n beio'r athrawon sylweddolai John fod yr ysgol wedi gwneud plant i gyd yr un fath, wedi cyflyrru dychymyg ei fab pump oed i feddwl sut roedd rhywun fod i dynnu llun.

Nid chwilio am y cyfarwydd fyddai John ond gweld yr anghyfarwydd mewn rhywbeth cyfarwydd. Rebel oedd o, dyna ddywedasai Anna, yn enwedig pan geisiodd gymell ei blant i beidio â chael eu sugno i'r un ffordd o feddwl â phawb. Ond roedd hi'n dasg anodd i rebelio yn erbyn pob dim. Ac fel y dywedodd Anna wrtho un diwrnod, roedd hi'n hawdd torri rheolau wedi i rywun eu dysgu nhw. Ond roedd yn rhaid i'r plant gael gwybod y rheolau yn gyntaf. Roedden nhw'n haeddu hynny, o leiaf. Mi allent eu torri nhw wedyn, pe baen nhw'n dymuno gwneud hynny.

Ond welodd John ddim deinosor hud yn lluniau ei fab wedi iddo fynd i'r ysgol. Byth ers hynny, roedd o'n grediniol fod Anna'n trio gwenwyno'r plant yn ei erbyn. Mewn gwirionedd, doedd hi ond eisiau i John dynnu llun cerdyn post er mwyn iddi gael dweud wrth bobl y capel ei fod o'n gwneud rhywbath o werth, esboniodd wrth Mathew.

'Dydw i erioed 'di bod yn ddigon da iddyn nhw,' ychwanegodd yn chwerw.

'Ti'm 'di bod yn dda iawn *efo* nhw, naddo?' brathodd Mathew.

Gwyddai John mai cyfeirio at stori'r sgons roedd o. Yr unig beth wnaeth o oedd dweud wrth Nerys Drws Nesa fod ganddi ddarn o sgon yn sownd yn ei mwstásh rhyw b'nawn dydd Sul yn y tŷ. A dyna gôr o chwiorydd y capel yn crychu'u gwefusau, ac Anna'n crebachu.

'Does 'na'm newid arno fo rŵan, beryg,' fe'i clywodd yn egluro'n ddistaw wrth ei ffrindiau wedi iddi ei weld o'n baglu draw am y cwpwrdd diodydd yn y gegin.

Felly mi gafodd ganiatâd i gario mlaen. Dyna oedd ei ffawd – roedd Duw a'i sgons capelog wedi achwyn hynny iddo. Mi sylweddolodd John y diwrnod hwnnw mai dyna oedd yn dda am siomi pobl – doedd neb yn disgwyl dim byd wedyn. Roedd o'n rhydd rhag hualau parchusrwydd a'i wên deg.

Ond eto, roedd o'n gaeth, achos methai'n glir â dygymod ag undonedd bywyd. Roedd trothwy ei ddiflastod yn isel. Dyna pam aeth o i deithio efo'i gamera yn y lle cynta. Teithio i brofi cymdeithasau a phobl wahanol. Ymestyn ei orwelion cyn i'r rheiny gael eu crebachu wedi iddo dynnu llun merch hardd mewn bar un diwrnod yn Llundain. Roedd ei draed wedi cosi byth ers hynny. Ond erbyn rŵan roedd y cosi yn ei esgyrn ac yn ei hanfod. Roedd yn casáu'r cosi, a rhwng y cosi byddai'n disgwyl am y cosi nesa. Waeth beth a ddywedai'r hysbyseb Guinness ar y teledu, roedd yn gasach ganddo'r disgwyl.

Ond ni fu'n rhaid iddo ddisgwyl yn hir y bore hwnnw. Roedd cryndod ei gorff a diffyg protest Mathew wedi sicrhau tocyn iddo fynd i'r Crown i gynhesu. On'd oedd o eisiau ad-dalu Neil am y gwely ar fwrdd ei annwyl *Moby*? Ac efallai, oherwydd gwres y dafarn, mi feiriolodd Mathew gan ddechrau defnyddio ei eiriau ei hun yn hytrach na geiriau ei fam. A'r eiliad nesaf, roedd o'n tincial gwydrau efo'i fab. Un ddiod roedd o eisiau, medda fo, ond...

'Ti fod i droi'r gwydryn gwin,' eglurodd yntau, yn falch o gael rhoi ei fab ar ben ffordd ar rywbeth o'r diwedd. 'Gadael i'r aer gymysgu.'

Roedd edrych i mewn i'r cochni terfysgol yn atgoffa John o'r Maelstrom: y trobyllau dyfn rheiny yn Norwy lle roedd y dŵr yn chwyrlïo mor bwerus nes tynnu unrhyw beth o'r wyneb i lawr, yn ddyfnach a dyfnach i'r cerrynt gormesol. Felly byddai John yn troi pob glasiad, gan edrych yn hir i mewn i'w lygad coch hypnotig.

Mi gafodd Mathew ginio ond roedd John yn gorfod blaenoriaethu ei bres. Byddai paced o greision yn gwneud llawn cystal iddo fo. Roedd y cerrynt coch wedi gafael yn ei goesau ac yn ei dynnu odano.

Wrth fwyta, cofiai i Mathew drio ennyn ei ddiddordeb mewn camerâu digidol, ac yntau'n dadlau'n chwyrn be oedd y pwynt pan oedd rhamant y grefft o ddatblygu lluniau wedi diflannu? Doedd Mathew ddim i'w weld yn deall mai dim ond hanner y gwaith oedd *tynnu'r* llun. Roedd rhaid ei fagu a'i fynwesu'n ofalus wedyn. Ysgydwodd ei ben mewn anghredinedd. Meithrin llun oedd ffotograffydd, nid pwyso botwm ar gyfrifiadur. Be oedd y diléit os mai'r cyfrifiadur fyddai'n pennu faint o fanylder neu wrthgyferbynnu fyddai mewn llun? Doedd yr hogyn ddim i'w weld yn deall chwaith fod eiliad yn hollbwysig wrth ddatblygu llun. Roedd John yn grediniol mai dim ond dyn o'i brofiad o allai benderfynu ar y cydbwysedd cain a roddai enaid i lun.

Doedd o ddim yn siŵr a aeth i ormod o fanylder wrth egluro'i achos, ond roedd Mathew wedi stopio canolbwyntio. Medrai ddweud bod y ffocws wedi mynd yn feddal yn ei lygaid. Efallai mai dyma fyddai Anna'n mwydro amdano pan soniai am ei 'gweledigaeth baralel' wrth wneud ioga. A'r peth nesaf a gofiai oedd fod Mathew wedi cerdded oddi wrtho hefo rhyw ferch ifanc mewn côt fatha sasgwats. Doedd ganddo ddim syniad pwy oedd hi, er ei bod hi'n edrych yn eithaf cyfarwydd hefyd. Un peth roedd o'n ei wybod i sicrwydd, beth bynnag, oedd nad oedd ganddo bres i aros yno. Felly mi redodd ar ôl Mathew at y drws. Waeth beth oedd ei feddwl yn ei ddweud, doedd ei geg ddim yn medru ei ynganu.

'Bwyta rwbath,' meddai Mathew wrtho, gan wasgu papur decpunt i gledr agored ei law.

'Ia, mi wna i,' addawodd.

Ond ddaru o ddim, wrth reswm. Byddai hynny wedi golygu na allasai fforddio'r botelaid o win y bu'n ei sipian yn braf o flaen y tân. Roedd o'n amau iddo ddechrau pendwmpian, ac yntau'n beio Neil Crown am roi gormod o dân yn y grât a'i bod hi'n rhy gynnes yno.

'Pobol yn yfad mwy pan ma'n nhw'n boeth, dydyn?' winciodd hwnnw.

Cofiai ei fod o eisiau cysgu'n ofnadwy wrth gerdded tuag adref. A'r eiliad nesaf, roedd plisman uwch ei ben yn gofyn iddo fo be oedd o'n neud yn gorwedd ar y stryd am chwech o'r gloch y nos? Gallai gofio mai chwech o'r gloch ddywedodd o, oherwydd roedd ei boer o'n chwistrellu i'w wyneb bob tro y dywedai 'ch'. Roedd wedi pwysleisio chwech o'r gloch sawl gwaith, felly cafodd gawod go helaeth. Fynta'n ateb fod y byd yn troi'n rhy sydyn o'i gwmpas, a'r plismon yn gofyn sut bod gorwedd ar y stryd yn mynd i'w helpu? Fynta'n ateb ei fod o'n disgwyl i'w dŷ fynd heibio.

Roedd o'n cofio mynd adref yn glafoerio am rôl gig moch. A'r peth nesa, roedd dyn hefo gwallt Lego melyn yn gafael yn ei ysgwydd ac yn holi oedd o'n iawn. Roedd larwm soniarus yn drysu'i feddyliau ac arogl mwg tew yn tagu ei ysgyfaint. Methai'n glir â deall sut roedd y gŵr ifanc wedi medru cael ei wallt mor wirion o felyn. A dyna pryd y sylweddolodd mai het oedd hi. Het y dyn tân oedd yn trio'i hel o allan o'r gegin tra bod ei gyd-weithiwr yn ymaflyd yn erbyn poer y saim o'r badell ffrïo. Cododd, yn simsan a thrwsgwl, ac aeth tua'r drws. Bu bron iddo â baglu wrth i ffrâm y drws neidio'n rhy sydyn i'w gyfarfod.

'Trio cwcio *bacon* oeddach chi?'

'Edrych mwy 'tha *pork scratchings* erbyn rŵan, ma'n siŵr,' atebodd John yn araf.

Gwenodd y dyn Lego, cyn pasio'r badell i'w ffrind a satai ger y drws cefn. Symudodd John at y difrod.

'Del 'di cysgodion ma'r tân 'ma 'di'u g'neud, ynte?'

''Dach chi'n lwcus bod y ddynes drws nesa 'di gweld y fflamau.'

'Nerys? Honno'n gweld pob dim,' meddai gan geisio symud at y dyn tân i bwysleisio'i bwynt, ond roedd o'n methu symud ei goesau. 'Ddrwg gin i. Ma'r Russian 'di ca'l gafa'l ar 'y nghoesa i.'

Roedd ei drwyn yn y wal yn amlinellu olion y fflamau pan ddaeth Anna i mewn.

'Cysgod yn medru bod yn fwy difyr na'r fflam... ti'm yn meddwl?'

Ymlafniai ei dafod dew i fynegi ei sylw. Ysgydwodd Anna ei phen mewn anghredinedd.

'Be am realiti, John? Sbia'r golwg sy 'ma...'

Wedi i'r geiriau ddod o'i enau roedd John yn tybio, efallai, na ddewisodd y foment orau i gynnig fod realiti yn rhith a grëwyd gan ddiffyg dychymyg. Doedd 'na fawr o hwyliau arni pan gynigiodd ei bod hi'n siarad ag o yn ei llais athrawes am ei bod yn hoffi dweud wrtho be i'w wneud, fel plentyn bach. Oedd hi eisiau dweud wrth y dynion gwalltiau Lego i gyd am dynnu eu sgidiau cyn dod i'r tŷ a thynnu sêt y toilet i lawr ar eu holau? Damwain oedd hi, ceisiodd egluro, i dorri ar drymder yr awyrgylch. Mi fyddai hi'n gweld y peth yn ddigri yn y bore, roedd o'n saff o hynny.

'Do's 'na'm ennill efo chdi, nag oes?'

A dyna'r unig eiriau roedd o'n eu cofio. Dim ennill. Roedd o wastad wedi meddwl bod athrawon yn dysgu plant mai cystadlu oedd yn bwysig, nid ennill. Ond cyn iddo geisio defnyddio'r ddadl honno, roedd breichiau am ei ysgwyddau yn ei arwain i eistedd. Toedd o ddim eisiau eistedd. Pa hawl oedd gan y dyn yma i ddweud wrtho beth i'w wneud yn ei dŷ ei hun? Clywodd Anna'n dweud y byddai pob dim yn iawn achos mai eisiau cysgu roedd o. Byddai pob dim yn iawn ar ôl iddo fo gysgu. Dechreuodd bendwmpian wrth y peiriant golchi llestri pan ddaeth hi 'nôl i mewn i'r gegin. A fynta'n gofyn lle aeth y dynion cas. Hithau'n ateb mai fo oedd yn gas, nid y dynion.

Yna, gwnaeth hi'r wyneb yna. Yr un wyneb a fyddai ei fam yn ei wneud ers talwm, jyst cyn dweud nad oedd hi'n flin efo fo, ond ei bod hi wedi'i siomi. Byddai'n pwysleisio'r 'siomi' yn llawn difrifwch, gan fod siom yn waeth na gwylltineb. O leia roedd 'na rhyw arwydd o gynddaredd mewn gwylltineb, plediodd John â fo'i hun. Roedd hi'n haws darllen peth felly na rhyw wyneb fatha hwnnw a wnâi ei fam – yr un wyneb ag a wnâi Anna rŵan. Doedd o ddim cweit yn deall pam fod Anna wedi'i siomi gymaint heno, beth bynnag – y *fo* oedd wedi gorfod gwneud heb ei rôl gig moch.

Dydd Sul

Fel pob bore ar ôl pob noson fawr, roedd gwreichion egnïol credoau John yn llanast yn y gegin y bore wedyn. Roedd marwydos ei ddadleuon bellach wedi pydru, tân ei ddadleuon wedi pylu ac yntau yn y pydew. Wyddai o ddim sut y cyrhaeddodd y gegin ond yno y deffrodd, fel ci heb fasged. Ac mae'n rhaid mai un o'r plant oedd wedi rhoi'r flanced dros ei ysgwyddau. Teimlai olion crychiog ar ochr ei wyneb. Doedd teils llechen mo'r clustog gorau.

Wrth symud ei ben teimlai fel petasai miloedd o gyllyll llym yn eillio croen ei ymennydd. Ceisiodd godi ond roedd ei draed a'i lygaid yn troelli mewn cyfeiriadau gwahanol. Ac ar ben pob dim roedd difrod y gegin yn gwasgu ar ei gydwybod. Clywodd sŵn drws y ffrynt yn cau. Anna'n gadael am y capel neu am yr ioga neu beth bynnag fyddai hi'n ei ddewis er mwyn dianc o'i chartref.

Anelodd John am y drws cefn cyn i'r cyfog oedd yn bygwth anharddu mwy ar yr olygfa fynnu cael ei ryddhau. Hyrddiodd y beil o'i berfedd ar ben y rhododendron. O wel, roedd yn siŵr i Anna sôn rywbryd eu bod yn hoffi pridd asidig – siawns nad oedd honna'n ddos go helaeth o asid stumog i'r gwrych sychedig. Roedd ei goesau'n gwegian ond cofiodd nad oedd wedi bwyta ers amser cinio ddoe.

Eisteddodd John yno am funudau lawer yn disgwyl

i'w fyd ddod ato'i hun. Roedd ei feddwl yn wag ac yn llawn ar yr un pryd. Teimlai fel pysgodyn, a'i lygaid yn syllu'n wag heb iddo gau ei amrannau. Cafodd gip ar Nerys Drws Nesa yn edrych arno trwy ei *blinds* pren, cyn edrych i ffwrdd wrth sylwi ei fod o wedi'i gweld. Gwenodd. Roedd yn gysur gwybod bod rhai pethau, waeth beth oedd yr achlysur, yn aros yr un fath.

Roedd wedi rhyw feddwl dechrau ll'nau pan agorodd y drws i'r gegin a chlywed cynffon sgwrs ei ddau epil.

'Lle mae o rŵan?' holodd Mathew. Roedd sŵn dwrdio yn ei lais.

'Sbia yn y geiriadur. Dw i'n meddwl y gwnei di'i ffeindio fo o dan 'c' am cachwr,' chwarddodd Efa ei ferch.

'O'n i ar fin sbio ar 'p' am pen rwd,' chwarddodd ei fab.

Doedd y tad ddim yn chwerthin. Roedden nhw'n siarad amdano fel pe na bai o yno. *Doedd* o ddim yno iddyn nhw, debyg. Nhw oedd yn iawn. Roedden nhw'n ei adnabod yn well nag roedd o'n ei adnabod ei hun. Rhedai deigryn diog i lawr ei foch wrth iddo gau'r drws a suddo i'w gwrcwd.

Teimlai John fod arno eisiau dianc o'i enaid ei hun felly aeth am dro. Heb ganolbwyntio rhyw lawer, gwnaeth ei draed ei anfon yn reddfol at Gapel Salem. Eisteddodd ar y fainc gerllaw yn eu gwylio'n dod yn glystyrau allan o ddrysau'r adeilad. Yn mân sgwrsio'n sionc yn yr haul llachar. Yntau'n eistedd yn y cysgod. Fo'n ddu, Anna'n wyn.

Cododd a mynd i sefyll yn yr haul, i weld a wnâi'r gwres ei gysuro. Sefyll yno'n meindio'i fusnes oedd o pan ddaeth un o ffrindiau Anna ato i fusnesu. Roedd ei thrwyn yn fain a'i llygaid yn oer, fel hen wylan yn procio a phigo ar sgodyn esgyrnog.

'Dw i ddim yn meddwl y dylia chi fod yma...' sibrydodd yr 'wylan'. 'Dim heddiw.'

Gwenodd John, cyn gofyn yn garedig pryd oedd o i *fod* i ddod yma, felly? Os mai ail-lenwi enaid dyn oedd pwrpas crefydd, allasai'r amseru ddim fod fawr gwell er mwyn iddo gael mynd i mewn. Ciliodd yr wylan yn ôl i'w hawyr las. Châi gwir angen fel hyn ddim ei ystyried fel un o'r pethau pwysicaf. Rhegodd John. Yr hyn a âi o dan groen John fwyaf am y sefydliad oedd y decorwm. Roedd trio mynd i'r capel ac yntau'n drewi o ddiod yn torri ar y decorwm, waeth beth fyddai stad ei enaid.

Cerddodd yn ddigyfeiriad ar draws y Maes, gan wynebu'r castell. Ysgyrnygodd ei ddannedd wrth deimlo brath ei ben-glin. Brifai ei holl gorff. Fel ffliw parhaol. Diffyg hylif i iro'i gymalau, tybiodd. Roedd sgrechian y gwylanod uwch ei ben yn codi cur pen arno. Teimlai eu llygaid oer yn ei wylio, fel y llygaid oer y tu allan i giatiau'r capel. Doedd o ddim yn or-hoff ohonyn nhw ers i un bwystfil o wylan ddwyn brechdan tiwna a *sweetcorn* Bill Plymar ar wal y cei. Roedden nhw fel llygod mawr efo adenydd, yn cylchdroi uwch ei ben gan ddisgwyl am y cyfle i fanteisio ar unrhyw wendid.

Roedd o wedi bwriadu cerdded 'nôl adref i'w wely am seibiant. Ella y buasai'n medru sleifio i mewn rhag bod y plant yn gorfod siarad ag o. Teimlai rywbeth yn gwegian y tu mewn iddo wrth gofio'u geiriau y bore hwnnw. Roedd y gwirionedd oer fel dyrnau dur. Fedrai o ddim mynd

adref. Fedrai o ddim cwffio yn erbyn y cyhuddiadau.
Fel y dywedodd ei frawd wrtho, roedd rhyw lanast yn ei
ddilyn i rywle o hyd.

Ond doedd hynny ddim yn wir pan oedd o'n blentyn.
Pan fyddai o'n cystadlu, cyn gorfod ildio. Fel plant
ifanc, roedd pob anadl rhyngddo fo a Rob wedi bod yn
gystadleuaeth am ocsigen. Pob gair a lefarwyd yn darged
i wrthddadl ffyrnig y llall. Roedden nhw'n medru ffraeo
am bopeth yn ogystal â ffraeo am ddim byd: ffraeo pwy
oedd fod i ddiffodd y cloc larwm, pwy oedd yn cael mynd
ar y bws ysgol yn gynta, pwy oedd yn cael y mwya o
tships ar ei blât amser swper. Ar ôl gwersi nofio, roedd
yn gystadleuaeth pwy fedrai newid yn fwyaf sydyn er
mwyn cael mynd yn ôl at Mam gynta. Ar dripiau yn y
car, byddai'n gystadleuaeth pwy fyddai'n eistedd ble.
Pan fyddai John yn meiddio eistedd yn y sedd y tu ôl i'r
gyrrwr, byddai'r cyhuddiad yn dod gan Rob:

'Ma-am? Ma John yn sbio allan drwy'n ffenast i.'

Gan fod pawb arall yn eu cymharu, roedd yn naturiol
iddynt hwythau eu cymharu eu hunain â'i gilydd. Nes y
sticiodd y labeli. Rob oedd yn glyfar a John yn gariad.
Rob yn arweinydd a John yn dilyn. Yr amseru oedd i
gyfrif am y cyfan.

Pan aeth Rob i'r coleg a bodloni ei fam, mi aeth John
i'r dafarn a bodloni ei dad. Roedd eu llwybrau yn amlwg
wedi hynny. Roedd John wedi derbyn nad oedd modd
dadlau efo'i gyneddfau. Derbyn mai fo fyddai'r gwaethaf
gan fod amseru ei gyrhaeddiad yn y byd wedi pennu
hynny o'r dechrau un. Ac roedd yr amseru yr un mor
bwysig pan deimlodd law gadarn ar ei ysgwydd.

'O'dd Bill a fi'n dechra meddwl bod 'na *statue* arall ar Maes 'ma,' chwarddodd Neil Crown yn harti ar ei jôc ei hun.

'Ma'n rhaid bod rwbath 'di digwydd i achosi iddo fo golli nos Sadwrn yn Crown,' pwniodd Bill Plymar ei fraich. '*Takings* i lawr yn uffernol, doedd Neil?'

'Fu's i yna yn p'nawn, y diawl,' gwenodd John ar ei gyfaill.

'Dylia chdi 'di gweld Magi Hyll nithiwr. Ath hi i'r afa'l â Bill Plymar.'

'Paid â mwydro!'

'Ar fy marw. A fynta 'di cynhyrfu'n lân. Sbort, hogia bach. Ti'n dod am un bach...?'

A dyna ei alwad i antur.

Er ei bod hi'n ddydd Sul, doedd o ddim wedi mynd allan neithiwr, nag oedd? Roedd hi'n swnio fel petai o wedi colli noson dda. Roedden nhw'n ei gofleidio efo'u cyfeillgarwch ac yntau ddirfawr angen cysur. Yn ôl Frank Sinatra, ella bod alcohol yn elyn ond ma'r Beibl yn dweud y dylian ni garu'n gelynion...

Ac felly heddiw, eto, eisteddai ar y stôl wrth y bar yn y Crown, yn gwagio'i bocedi i lawr til Neil. Yn yfed. Yfed i gofio ei fod yn yfed i anghofio. Ond ar ôl ambell swig, roedd o'n difaru. Ac ar ôl un arall, roedd o'n cyfogi. Ar ôl un arall, roedd yn casáu ac yn chwilio'i enaid am reswm i stopio ac wrth wneud hynny, cael rheswm i ddechrau eto. Yn archebu diod arall. Roedd yn rhan o'i gynhysgaeth, yn wyrdroëdig. Yn hardd ac yn hyll, yn ddrwg ac yn dda. Doedd dim newid arno rŵan. Dim dianc rhag ei ffawd. Roedd yn gaeth, yn ddibynnol. Ar ddibyn.

vn yn grediniol fod yfed gormod
gon. Yfed cymaint nes cael ei lusg
i mwydro cymaint am ei drygioni.
hofio am bob atgof o'i orffennol a'i
ymor byr oedd yn cyfrif. Teimlai'r
doedd dim ots ganddo.

Toedd o'n methu â choelio'i lygaid pan y'i gwelodd hi
yno. Safai'n dalsyth, yn gwenu'n awgrymog. Toedd o'm
yn gwybod lle roedd ei gwallt du a'i dillad du'n darfod.
A'i llygaid du 'ty'd ata fi' yn pefrio'n fwy nag erioed...

'Cwrw ydi'r unig reswm pam w't ti'n dal i godi o dy
wely bob p'nawn?!'

Digywilydd fatha bob tro arall. Felly, penderfynodd
fod yn ddigywilydd yn ôl.

'Lle ma'r angladd heddiw 'ta... ?' meddai, wrth lygadu
ei dillad.

'Ti'm 'di newid dim,' gwenodd hithau.

'Dal yn 'blymar'!' meddai yntau gan godi ei botel. Ac
mi wnaeth hi chwerthin yn aflafar nes bod ei gwefusau
cochion yn ymestyn hyd at ei chlustiau.

'John... ' meddai, gan ysgwyd ei phen yn atgofus.

Deffrodd John i sŵn chwibanu yn y garafán. Miws opera – *Carmina Burana*? Cymerodd hi rai eiliadau iddo ddygymod â'r olygfa. Cofio lle roedd o. Cofio lle na ddylia fo fod. Roedd ei geg yn sych, ei gefn yn stiff a'i ben-glin yn brifo. Hi oedd yn chwibanu. Hi mewn du â'r gwddw hardd. Ond nid mor hardd nac mor lluniaidd â gwddw Anna. Anna.

Brifai ei ben mewn euogrwydd. Doedd o ddim yn cofio'r tro diwetha y gwelsai Anna. Ond cofiai sut roedd hi'n edrych. Roedd o wastad yn cofio Anna, gan iddo astudio pob nodwedd o'i hwyneb mewn rîl ar ôl rîl o luniau du a gwyn. Yn ei feddwl, hi oedd ei gariad. Ac wyneb ei gariad roedd o am ei weld y bore 'ma, nid yr wyneb gwelw a'r gwefusau coch.

Welodd o erioed mo'r seicig heb ei minlliw coch. Roedd hi wastad mor barod, mor gyson, mor benderfynol. Eisiau dianc roedd o'r bore 'ma er iddo fod mor falch o'i gweld hi neithiwr. Rhyfedd oedd y gwahaniaeth rhwng dau ddydd. Dau ddydd a dau berson. Dau yr un fath ac eto mor wahanol.

Os oedd hi'n teimlo'n chwithig, neu'n amau ei chwithdod o, doedd hi ddim yn dangos hynny. Roedd hi'n edrych mor gyfforddus ag erioed, fel petasai hyn yn digwydd bob dydd. Er nad hwn oedd y tro cyntaf.

Siaradodd John gan darfu ar ei feddyliau ei hun. 'Hon o'dd ar hysbyseb Old Spice stalwm, 'de. Ton anferth a boi ar ei fwrdd syrffio?'

Gwenodd hithau. Ia. Roedd o'n grediniol mai dyna beth oedd byw. Rhywbeth cyntefig ac elfen ramantaidd ynddo. Adrenalin cysefin. Chdi a'r môr. Chdi a dy ofnau.

'A llond môr o siarcod, os ti yn Awstralia...!' ychwanegodd hithau, gan gynnig cwpanaid iddo.

Fel petasai'n medru darllen ei feddyliau, roedd yr hylif clir yn ei law – y Rwsiad ffyddlon – yn goflaid o'r tu mewn.

'Dw i angen awyr iach,' meddai, gan gipio'r botel a chychwyn am y drws.

*

Doedd y môr wrth yr aber ddim mor wyllt â'r dŵr rownd y gornel. Byddai tipyn o hwylfyrddio yn y bae hwnnw. Roedd y culfor yn medru bod yn beryglus ond roedd yn llonydd fel llyn llefrith y bore 'ma.

Roedd o wedi dymuno cael llonydd ond eto roedd o'n falch o'i chwmni erbyn hyn. Doedd hi ddim yn siarad llawer yn y boreau, beth bynnag. Deryn y nos oedd hi, heb os.

Astudiodd y teulu o elyrch claerwyn yn nofio yn y dŵr. Ceisiodd wahaniaethu rhwng y fam a'r tad. Roedd hi'n hawdd adnabod y cywion llwyd-ddu yn dilyn y ddau ar y tu blaen: yn eu hefelychu wrth iddyn nhw eu harwain a'u haddysgu.

'Ma'n nhw'n symud mor dlws ar y dŵr,' dywedodd John yn ddistaw.

'Gosgeiddig,' gwenodd hithau.

'Padlio fatha ffernols gwyllt o dan y dŵr 'fyd.'

'Ydyn, ma'n siŵr.'

'Dydi be ti'n 'i weld a be sy ar y tu mewn ddim bob amsar 'run fath, nac'di?'

'Nac'di.'

'Alarch tu chwith fyswn i. Un sy 'di cychwyn yn dlws ac wedyn troi'n *ugly duckling*, yn lle ffordd arall rownd.'

Chwerthin wnaeth hi. 'Ella mai alarch du wyt ti.'

Roedd o'n gwenu. 'Peth dela welis i 'rioed... '.

'Yn Awstralia, ia?'

'Ia.'

Ac wedyn roedd tawelwch braf rhwng y ddau. Dim ond sisial cerrynt gwan y Fenai yn gwmni iddynt.

'Dw i ddim yn alarch gwyn, ma hynny'n saff i ti!' chwarddodd John, ar ôl rhai munudau.

'Ma 'na blu gwyn hyd yn oed ar elyrch du, does? Dyna sut ma'n nhw'n hedfan.'

'Hm. Y rheiny sy'n disgyn i ffwrdd ar ôl iddyn nhw baru, yndê.'

'Ia?'

'Ia. I'w stopio nhw rhag gada'l y nyth.'

Camodd hi tuag at y dŵr, gan fynd yn rhy agos at y nyth ac aflonyddu ar yr elyrch. Roedd hi wedi styrbio'r darlun unwaith eto. Diflannodd y ddelwedd cyn iddo'i dal ar seliwloid ei gof. Teimlai John mor sensitif â phapur ffotograff – yr haul yn rhy gryf, yn rhy llym i'w enaid gwan. Roedd o fel delwedd wedi'i solareiddio, heb ffurf bendant – yn hanner du, gan drio bod yn wyn, yn niwlog ac yn aneglur.

*

Y peth nesaf roedd o'n ei gofio oedd y boi pwysig hwnnw yn Spar yn gwrthod gadael iddo fo gael y fodca. Yn ffonio Anna ac yn dweud yn bwysig wrth afael yn y ffôn ei bod hi'n gwrthod talu drosto. Fynta'n mynnu cael siarad ar y ffôn.

'Dw i'i angen o,' meddai John yn ddistaw.

Roedd o'n cofio gofyn i'r ffôn pam ei bod hi mor gas? Y munud nesa roedd Efa yno, yn gasach fyth, yn sefyll o'i flaen ac yn erfyn arno i fynd i 'gyfarfod' heno. I'w helpu. Roedd hi a'i mam wedi trefnu mai dyna fyddai orau iddo ond roedd dychmygu eu cynllwynio wedi codi gwrychyn John. Y ddwy'n annibynnol ac mor hyderus yn eu daioni eu hunain, heb ddeall ei hanfod o. Ac fel petasai'n medru gweld y gwrthryfel yn cyniwair yn ei thad, dyna Efa'n brathu arno.

'Plis, Dad!' erfyniodd, braidd yn ddramatig yn ei dyb o.

'Sna'm isio gweiddi, nag oes,' ceisiodd John resymu â hi.

'Ma'n rhaid i betha newid!' datganodd hithau.

'Ti'n swnio fatha protest gin Gymdeithas yr Iaith.'

'O ddifri.' Roedd ei llygaid yn ymbil arno. Yn ei feirniadu.

'W't ti'n mynd i dalu am hwn 'ta be?' A rŵan roedd ei lygaid o'n ymbil arni hi.

'Os ydi Mam, Mathew ncu fi yn golygu unrhyw beth o gwbl i chdi,' meddai, wrth estyn i'w phwrs am y pres, 'mi fyddi di yn y cyfarfod 'na heno 'ma. Neuadd Eryri, chwech o'r gloch.'

Pam roedd popeth yn digwydd am chwech o'r gloch? Chwarddodd John wrth gofio am gawod y plismon.

'Mi fydd Mam yna'n disgwyl amdana chdi.'

Mi aeth hi, ar ôl iddo addo meddwl am y peth. Nid ei fai o oedd ei bod hi'n rhy oer i ista allan efo'r botel a'i fod o wedi gorfod mynd i'r Crown i benderfynu. Deallai Neil, chwarae teg iddo, ei fod o'n rhy sgint i brynu'r lysh drwy'r amser. Roedd o'n iawn, cyn belled â bod John yn prynu Coke ganddo fo. Ond fel ar lawer o ddyddiau eraill, doedd un botelaid ddim yn ddigon, ac o fewn ychydig oriau roedd o'n ei baglu hi i fyny am Spar am yr eildro y diwrnod hwnnw.

Hogan oedd wrth y til y tro hwn ac mi ddaru'r gnawas wrthod ei syrfio a gwrthod ffonio Anna. Roedd o'n nabod ei hwyneb hi o rwla 'fyd. Ond nabod neu beidio, doedd hi ddim yn gwrando arno fo.

Ond roedd *o* eisiau'r fodca yn fwy nag roedd *hi* eisiau'i stopio fo. Penderfynodd gymryd y mater i'w ddwylo ei hun, yn llythrennol. Doedd hi ddim yn gyd-ddigwyddiad fod lle perffaith i'r Rwsiad ffyddlon ym mhoced fewnol ei gôt. Gwenodd ar y ferch wrth ei heglu hi am allan – eisiau'i phres roedd hi, eisiau'i fywyd roedd o.

*

Doedd o ddim cweit yn cofio pam, ond roedd o'n ôl yn y ffair yn yfed yr ail botel. Roedd o'n lle dryslyd iawn ac yntau ddim yn gwybod lle roedd o'n mynd go iawn. Waeth faint a gerddai yn ôl a blaen, methai'n glir â chofio ym mha garafán roedd hi'n byw.

Cnociodd ar ddrws a chael ei regi am styrbio pan glywodd regi uwch o'r tu ôl iddo. Fel plentyn yn cael ei ddargyfeirio, mi drodd John a gweld hogyn yn edrych yn reit debyg i Mathew yn cael ei daflu oddi ar y ceir bach gan gawr moel. Disgynnodd y bachgen yn swp ar y llawr, cyn stryffaglu i godi ac igam-ogamu trwy'r dyrfa. Roedd golwg gyntefig arno fo'n baglu mynd, a'i geg yn hongian. Wedyn dyma fo'n sylweddoli mai Mathew oedd o.

'Hei, *chief*! Sbia golwg arna chdi!' Baglodd ar ei ôl.

Roedd John yn gwybod mai fo oedd o achos roedd o'n gwenu.

'Golwg arna *fi*?!'

'Ia.'

'Wel... ma'r Russian 'di ca'l gafa'l arna i, dydi?' meddai Mathew a'i lygaid yn gwenu'n lloerig.

Doedd John ddim eisiau iddo fo fod yr un fath â fo. Ond fo'i hun roedd o'n ei weld yng ngwylltineb tywyll ei fab.

'Dos adra, boi,' meddai John yn dawel.

Chwarddodd Mathew. 'Ti'm 'di bod adra ers dyddia!'

Roedd dagrau yn bygwth yn ei lygaid, ac er bod John yn genfigennus o'i eglurdeb emosiynol, doedd o ddim eisiau gweld Mathew yn crio. Gafaelodd yn wyneb ei fab ac er gwaetha pob dim, doedd John ddim eisiau gweld adlewyrchiad o'i holl ffaeleddau yn yr wyneb hwnnw: ddim eisiau gweld yr un syched yn cydio mewn cenhedlaeth arall.

'Stopia rŵan. Hen lol,' meddai, gan daro boch ei fab yn gyfeillgar.

Ond doedd Mathew ddim am stopio. Daliai'r dagrau i rowlio i lawr ei wyneb. Dagrau a llysnafedd o'i drwyn, ac roedd ei lygaid bron yn orffwyll pan boerodd ei gwestiwn, 'Pam ddyliwn i wrando arna *chdi*?'

Roedd holl gymalau corff ei fab yn dynn, yn ei herio, yn ei gymell i'w ateb. Yn yr eiliad honno, roedd John yn casáu fo'i hun. Yn caru Mathew. Yn casáu Mathew. A chyn iddo reoli ei hun roedd cledr ei law wedi caledu ac yn hytrach na rhoi slap gyfeillgar i ddod ag o at ei goed, taflodd ei ddwrn ato.

O fewn un eiliad roedd o'n difaru ei enaid. Ond roedd y sioc i'w ymateb ei hun yn ormod. Edrychodd John ar ei ddwrn, a hwnnw'n dal mewn pelen, ac yn methu â dirnad yr hyn roedd o newydd ei wneud. Methai â darganfod y geiriau i egluro, i ymddiheuro. Roedd ei ing yn rhy ddwfn i eiriau, yn rhy ddwfn i ddagrau. Collasai ei dafod fel y gwnâi pan oedd yn bedair oed. Ymbiliai â'i lygaid am faddeuant ond roedd cysgod rhwystredigaeth ei holl blentyndod yn sgleinio'n wyllt yn llygaid Mathew.

'Ffeit, hogia!'

'Hei, hei! *Steady on* yn fan'na.'

'Piga ar rywun dy seis dy hun, ia mêt?'

Roedd y lleisiau yn nofio ym mhen John, a dynion yn eu tynnu ar wahân. Gwelodd Mathew yn cael ei lusgo oddi wrtho, cyn diflannu.

Ceisiodd edrych ar ei oriawr i weld faint o'r gloch oedd hi ond roedd honno'n honni ei bod hi'n dri o'r gloch. Gwyddai John, hyd yn oed, fod hynny'n amhosib, felly wrth gerdded tuag at y bont, gwelodd y car oedd wedi'i barcio wrth y dŵr. Roedd y drws yn llydan agored a dim golwg o'r perchennog. Dim ond sbecian i mewn i weld y cloc roedd o. Ond pan welodd ei bod hi bron yn chwech, a bod yr injan yn dal i redeg, mi eisteddodd yn y sedd a chau'r drws.

Wrth i John feddwl am Neuadd Eryri a geiriau Efa, mi redodd *hi* ato, a chythru i eistedd yn sedd y teithiwr. Y seicig. Ar ôl bod yn chwilio amdani, dyma hi wedi'i ffeindio fo.

'Dw i 'di bod yn chwilio amdana chdi,' fflyrtiodd.

'Dim rŵan,' brathodd John yn flin.

'Lle ti'n mynd?'

'O 'ma!'

'Plis paid â mynd,' roedd hi'n crfyn.

Ond roedd y cloc yn dal i dician a'r perchennog yn dychwelyd. Roedd John am gyrraedd Neuadd Eryri erbyn chwech. Mewn eiliad, mi benderfynodd y byddai'n rhaid iddi ddod efo fo. Crensiodd y car i mewn i gêr, gan adael y gŵr ifanc yn rhedeg yn gynddeiriog ar ei ôl.

Wedi iddo gychwyn gyrru, gafaelodd hithau'n ei glun o. 'Ty'd i ffwrdd efo fi, John.'

Mynnodd ei fod o am fynd i'r cyfarfod. Roedd o eisiau newid. Wrth yrru heibio i'r dŵr cofiodd am yr alarch. Yr alarch du a oedd mor hardd. Mi dorrwyd yr unig blu gwyn ar ei adenydd i bwrpas, i'w atal rhag gadael y nyth, i edrych ar ôl ei gywion. I aros efo nhw a'u gwarchod. Meddyliodd yntau am ei deulu ei hun, am y cof aneglur o faban perffaith yn llenwi'u cartref â'i phresenoldeb. Efa, fel y ddynes gyntaf yn y Beibl, yn gryf ac yn annibynnol fel ei mam. Er mor anhyblyg oedd strata ei phersonoliaeth, roedd yn edmygu'r craidd caled, cadarn oedd mor wahanol iddo'i hun. Yna, crwydrodd ei feddwl at y dydd pan gyrhaeddodd adref a gweld bod babi arall yn disgwyl amdano – un gwahanol i'r llall. Hogyn, Mathew, yn debyg i'w dad. Yn sensitif a synfyfyriol. Ac wedyn cofiodd mai ei unig gyfraniad o at ei ddatblygiad yn ystod ei fywyd oedd iddo weld gwendid ei gaethiwed o ynddo. Medrai weld hynny'n gliriach nag erioed erbyn hyn. Roedd o wedi dianc digon, wedi perswadio'i hun ei fod o'n wrol, ond gwan oedd o go iawn.

Wrth yrru'n wyllt ar hyd y lôn isel wrth yr afon trodd ei feddwl at Anna, yn eistedd yn Neuadd Eryri yn disgwyl amdano, fel roedd hi wedi gwneud am ugain mlynedd bellach. Nid crefydd oedd hynny, ond cariad. Eto, roedd o yn fa'ma efo dynes arall. Efo'i synfyfyrwraig dywyll. Efo'i seicig, a'i *sidekick*. Ond pan fyddai o'n cau ei lygaid doedd hi ddim yno.

Ty'd i ffwrdd efo fi, gofynnodd hi eto. Am amseru, meddyliodd wrtho'i hun a chyn iddo orfod ei hateb, daeth golau glas i'w achub. Golau glas yn nrych ei lygaid yn wincio arno i stopio. Roedd yr heddlu'n cytuno ag o nad oedd angen iddo ddianc efo hi. Dim am chwech o'r gloch y nos. Damia... roedd hi'n chwech! Roedd arno ofn stopio rhag i dân ei benderfyniad gael ei ddiffodd. Ac roedd arno ofn. Ofn siomi. Ofn siomi Anna a fu'n meithrin ei mab i fod yn well person na'r llanast meddw ddeuai yn ôl adref ati heno. Ofni'r cariad oedd yn pwyso yn ei fynwes yn drymach nag erioed.

Roedd dagrau o ecstasi yn llygaid John wrth iddo bwyso'i droed ar y sbardun ac anwybyddu cais yr heddlu i stopio ger y castell. Roedd o'n benderfynol o gyrraedd y cyfarfod...

LARA

Dydd Gwener

Roedd yn gas ganddi wisg y gwaith. Yn waeth na'i gwisg ysgol, os rhywbeth. Roedd yn gas ganddi unrhyw beth oedd yn trio gwneud i bawb fod yr un fath, achos doedd pawb ddim yr un fath. Ond, wrth ddod allan o Spar ar y nos Wener honno, roedd hi'n lwcus ei bod hi'n casáu'r wisg neu fuasai hi ddim wedi bod mor awyddus i gau sip ei chôt. A phetasai hi heb fod mor awyddus i gau ei chôt, fuasai hi heb edrych i lawr a gweld y papur decpunt ar y llawr.

Mewn eiliad, rhoddodd ei throed arno, cyn edrych o gwmpas i wneud yn siŵr nad oedd neb yn edrych. Doedd dim golwg o unrhyw un yn tynnu ei bocedi y tu chwith allan nac yn edrych ar y llawr mewn panig. Stwffio nhw, felly. Anlwc rhywun arall oedd ei lwc hi. Estynnodd Lara i lawr, gan gipio'r arian fel yr wylan honno a welsai hi'n dwyn KFC oddi ar dwrist o Japan. Doedd neb yn gwylio wrth iddi ei roi yn ei phoced, heblaw'r castell. Gwenodd ar y presenoldeb cyfarwydd, cyn wincio a dweud wrtho mai eu cyfrinach nhw oedd hi.

A dweud y gwir, roedd hi wastad wedi eisiau byw mewn castell. Dyna pam ddywedodd hi wrth ei hathrawes ar ei diwrnod cyntaf yn yr ysgol gynradd mai ei chyfeiriad oedd Castell Gwyn, Y Cymylau. Ond buan stopiodd hen lol fel'na. Pan adawodd ei mam. Dim ond deuddeg oed oedd hi a dim ond pedair a dwy oed oedd Aaron a Nicola. Dyma'r ddynes oedd i fod eu gwarchod, ac i fod ddychryn eu bo-bos i ffwrdd. Doedd Lara prin wedi tyfu'n ddigon aeddfed i ddeall bod gan ei mam ei bywyd ei hun pan adawodd hi, gan droi wadin ei delfrydau yn gnoi caled yn ei pherfedd. Gan adael Lara i warchod a dychryn bo-bos ei brawd a'i chwaer fach, ac wedi hynny roedd ei thraed wedi bod yn gadarn ar goncrit y stad. Stad ei hen gartref a stad ei chartref newydd yn y dref hon. Ond doedd hi ddim yn hoffi meddwl am y peth, a dweud y gwir. Be oedd pwynt hel meddyliau? Meddwl a meddalu? Dyna sut roedd pethau a dyna fo. *So* cachu *so*.

Wrth frysio oddi yno, yn euog ac yn gyffrous, gwnaeth hafaliad yn ei phen:

Deg punt ychwanegol + mynd allan i'r gìg heno = prynu lipstic newydd yn Boots.

Dyna pam y câi ei galw'n ffrîc, ma'n siŵr. Am ei bod hi'n licio Maths. Yn licio gwybod lle roedd hi'n sefyll ym mhob dim. Yn edmygu'r rhesymeg oer. Roedd cymaint o gwestiynau nad oedd hi'i hun wedi medru'u hateb nes ei harwain hi i ryfeddu at rywbeth oedd mor ddu a gwyn. Mor bur. Un ai roedd o'n gywir neu roedd o'n anghywir. Hawdd. A phawb yn gwybod be roedden nhw'n ei wneud a lle roedden nhw'n sefyll.

Safodd am hydoedd wrth y cownter yn Boots. Gwenodd y ferch a weithiai yno'n denau arni cyn egluro ei bod yn 'brysur'. Ond roedd Lara wedi sylwi mai ar ganol darllen llyfr *self-help* oedd hi yn hytrach nag yn brysur â'i gwaith.

'Wâst o bres,' meddai'n swta.

'*Pardon?*' meddai'r weithwraig â'i llygaid yn ffiaidd yn nghanol y colur trwm, sgleiniog.

"Neith hwnna'm helpu neb,' cynigiodd Lara'n ddiflewyn ar dafod.

Bodiodd y weithwraig y clawr yn feddiannol cyn egluro trwy'i gwefusau pefriog fod yr awdur wedi gwerthu miliynau o gopïau ac wedi gweddnewid bywyd 'Linda dros y ffordd'. Bodiodd Lara ei minlliw yn feddiannol cyn egluro bod pobl oedd yn creu llyfrau *self-help* Americanaidd wedi gwneud cannoedd ar filoedd o bunnoedd yn dweud yr un peth drosodd a throsodd. Mewn gwirionedd, roedd yr ateb yn hawdd, sef bod yn onest efo hi'i hun ac yn onest efo'r bobl o'i chwmpas.

Edrychodd y gwefusau sgleiniog yn hurt arni ar ôl y caswir swta. Roedd Lara wedi gweld yr edrychiad o'r blaen: edrychiad rhywun yn methu derbyn pan fyddai rhywun yn dweud y gwir wrthyn nhw. Dyna'r union edrychiad gafodd hi gan Daniel Morris dair wythnos yn ôl. Roedd Daniel yn un o'r hogia hynny oedd yn methu derbyn fod hogan wedi gorffen efo fo. Dim ond ers wyth mis roedden nhw efo'i gilydd, ac roedd Lara'n methu'n glir â deall pam ei fod o mor pathetig ynglŷn â'r peth. Doedd dim byd gwaeth na hogyn rhy *serious*, yn enwedig ac yntau'n gwisgo Kouros for Men!

Deng munud gafodd Lara i wisgo'i cholur yn y diwedd. Ar ôl paratoi swper i Aaron a Nicola, roedd ganddi hanner awr tan y deuai Elin draw ond roedd hi wedi cyrraedd yn gynnar, efo 'dilema'. Chwarddodd Lara pan glywodd beth oedd natur y ddilema – doedd Elin ddim yn gwybod a ddylia hi wisgo bŵts fflat 'ta bŵts efo sodlau uchel i fynd allan. Tra oedd Elin yn poeni ei hun yn sâl pa bâr o deits oedd yn matsio ei sgert, roedd Lara wedi newid, gwneud ei gwallt, clirio'r gegin a llenwi'r peiriant golchi.

'Ti'n siŵr mod i'n edrych yn iawn?' gofynnodd Elin yn y diwedd, fel petasai o ddwyfol bwys i ddynoliaeth pa liw oedd ei theits.

'Ma dy wallt di'n sticio i fyny yn y ffrynt,' atebodd Lara'n onest.

'Yndi?' Neidiodd at ddrych cyfagos. 'O mai gosh, yndi 'fyd. Dw i'n edrych fatha chwaer i Jedward!'

'Gobeithio bydd y miwsig heno yn well na miwsig y rheiny!' ebychodd Lara wrth ychwanegu haenen arall o bensil du i'w llygaid.

Roedd hi wedi cael ei magu ar gryno-ddisgiau David Bowie a Rolling Stones ei thad. Fyddai hi ddim wedi medru bod yn unrhyw beth ond *rock chick*. Roedd hi'n rebel naturiol ac annibynnol, â gwallt blêr ond meddwl taclus.

Cyrhaeddodd ei thad wrth iddi chwistrellu ei hun â phersawr.

'*Scent* dw i'n 'i ga'l i swper heno, 'lly?' tagodd ei thad yn afreolus, cyn rhyddhau cwlwm ei dei ac eistedd yn swrth ar y soffa.

'Ella gei di chydig o bitsa efo fo os wnei di fihafio,' atebodd Lara'n chwim.

'Fel'a ti'n mynd allan?'

'Ia. Pam?'

''Dach chi'n gadael dim i'r dychymyg,' cychwynnodd ar ei bregeth gyfarwydd.

'Yr oes 'di newid rŵan, do Mark?' atebodd Elin mewn llais hen ddyn.

'Yn llofft ma'r ddau fach?'

'Twrnament Xbox,' cadarnhaodd Lara.

'Ella ga i lonydd heno 'lly?'

'Ma'n nhw 'di ca'l bwyd. Ma'r gweddill yn y ffridj i chdi.'

'Be fyswn i'n neud hebdda chdi?'

Gwenodd Lara. 'Ella fysat ti'n drewi fatha dyn yn lle dynas.'

'Bihafia,' meddai ei thad, wrth iddi blygu i roi sws ar ei dalcen.

'Os dw i'n methu bod yn hogan dda, fydda i'n dda am fod yn hogan ddrwg!'

*

Roedd Lara wedi edrych ymlaen at y gìg. Gallai cerddoriaeth dorri neu godi'i chalon, yn dibynnu ar ei hwyliau. Roedd melodi dda yn medru ei hatgoffa o union deimlad a chyfnod, a fedrai hi ddim deall person oedd yn ymatal rhag gadael i guriad miwsig ei feddiannu. Unwaith y byddai hi'n dechrau dawnsio, byddai ar ei phlaned ei hun: ei phlaned bersonol, gyfrin ei hun.

Heno, roedd hi ac Elin wedi addo mynd i gefnogi band yr ysgol, a oedd yn gymysgedd llwyddiannus o roc ac Indie. Roedden nhw'n apelio at ochr dywyll a hedonistaidd Lara. Ond fuasai hi byth yn cyfaddef wrthyn nhw. Unwaith roedd rhywun yn rhoi gitâr i hogia ifanc roedden nhw'n swagro yn syth bìn. Yn enwedig y cocyn Cai 'na. Winciodd hwnnw arni wrth ei gwylio hi ac Elin yn ymgolli yn rhythm y gerddoriaeth.

Roedd Mathew – yr un a chwaraeai'r gitâr fas – yn wahanol. Roedd ganddo lygaid annwyl er ei fod yn cuddio'n swil y tu ôl i'w wallt. Yn y gwersi Saesneg yn yr ysgol roedd hi wedi sylwi arno'n edrych arni. Ond bob tro yr edrychai hi arno fo, byddai'n edrych i ffwrdd. Yr un fath heno: sbio'n slei o dan ei ffrinj wnâi o.

Ers blynyddoedd, roedd Lara'n ymwybodol o'r effaith a gâi hi ar fechgyn. Gwyddai'n iawn fod Mathew wedi cymryd ffansi ati yn nrych toilet y bechgyn ac roedd hi'n gwybod yn iawn bod ei ffrind yn edrych ar ei bronnau wrth sefyll yn dalsyth wrth y bar ar ôl y gìg.

'Ga i hwn i chdi, del,' meddai Cai'n llawn ffydd.

'Pam?'

'Pam lai?'

'I chdi ga'l deud bo chdi 'di g'neud dy *one good deed* am y flwyddyn?' Heriodd Lara fo, gan fwynhau gweld ei anesmwythyd.

''Na i ddim ga'l o i chdi os ydi o'n gymaint â hynna o *issue*.'

'Paid 'ta.'

'Pam bo fi'n teimlo fatha 'swn i 'di g'neud rhwbath yn rong?'

'Dw i'm yn gwbod.'

Ond mi roedd hi'n gwybod yn iawn. Roedd hi wrth ei bodd yn ei herio a gwyddai na allai Cai ddeall pam na fuasai Lara'n fodlon fflyrtio'n ôl efo fo. Felly mi brynodd ddiod iddi.

'Dw i'm yn ca'l diolch hyd yn oed?'

'Dyna pam 'nest di'i brynu o? I ga'l diolch?'

Ochneidiodd Cai wrth iddi dynnu coes arall o'i bry copyn dychmygol.

'Be oedda chdi'n feddwl ohonan ni 'ta?' gofynnodd Cai, yn trio adfer rhywfaint o'i hunanfeddiant.

Ond roedd o hefyd wedi dechrau edrych o'i gwmpas am genod mwy parod eu canmoliaeth. Rhywun i dylino ei syniad o ohono fo'i hun roedd o eisiau, sylwodd Lara gyda gwên. Dyna pam roedd o mor barod i geisio bychanu Mathew pan ddychwelodd hwnnw o'r toilet.

'Dyma fo, Mr Pwpdepants!'

Wrth gerdded i ffwrdd, sylwodd Lara fod Mathew wedi gadael ei wallt yn flêr – roedd yn well ganddi fachgen efo cinc. Yn enwedig un oedd yn fodlon gwrando arni hefyd.

Y drwg mewn mynd allan yn griw mawr o'r stad oedd y byddai adeg yn cyrraedd pan fyddai pawb yn dechrau paru. Yn enwedig a hithau'n nos Wener a'r criw wedi bod yn yfed a smocio a blasu'r penwythnos yn eu gwaed. Fel rhyw Sinderela ar ras yn erbyn hanner nos, roedd Elin yn sugno ceg yng ngheg efo Sam erbyn naw o'r gloch ar y dot.

Roedd Lara wedi gweld eu closio ar y Waltzers, a'r golygon ystyriol wrth fwyta'u candi fflos. Felly doedd hi ond yn fater o amser tan y byddai'r dwylo siwgr yn gafael am y teits y bu trafodaeth fawr amdanyn nhw rai oriau'n gynharach.

Wrth fachu preifatrwydd yn y tai bach, roedd Lara'n synhwyro llygaid Elin arni wrth roi ei minlliw newydd ymlaen. Roedd Elin wedi tynnu'r bŵts â sodlau uchel ac yn mwytho pothell boenus. Ac o'r diwedd, dyma'r cwestiwn roedd hi'n ei ddisgwyl bob tro, 'Be am Daniel?'

'Be amdano fo?'

'Ma'n amlwg yn dal i ffansïo chdi.'

'Dw i'm isio.'

'Dw i'm isio gada'l chdi ar ben dy hun.'

'Fydda i'n iawn,' gwenodd Lara'n ddidwyll. Byddai'n well ganddi fod ar ei phen ei hun nag efo fo. Caeodd Lara ei bag gan ddangos ei bod yn bwriadu gadael.

'Ych! Ma hynna'n golygu bo fi'n goro gwisgo'r *torture shoes* 'ma'n ôl!'

Camodd Elin tua'r tywyllwch efo Sam, gan anwybyddu brath y pothelli ar ei thraed.

Roedd Lara â'i bryd ar sleifio adref heb orfod ffarwelio â'r gweddill ac roedd hi wedi llwyddo i frysio'n gyfrwys tuag at y stondinau pan welodd fod ffawd wedi gadael rhywun arall ar ei ben ei hun yn y ffair. Dyna'r ail waith y diwrnod hwnnw i lwc dda chwarae'i ran. Roedd hi wedi llwyddo i sicrhau deg punt a dyn, o bosib, mewn un diwrnod.

Roedd llygaid Mathew yn disgleirio, er ei fod yn gwadu ei feddwdod. Mwydrai am ryw ffrîc o ddynes oedd wedi codi ofn arno. Doedd ar Lara ddim chwant mynd adref.

*

Fe'i swynwyd hi gan ei sensitifrwydd swil a'i anrheg od o bysgodyn. Roedd edrych arno yn gwneud iddi wenu a theimlo'n gynnes o'r tu mewn.

'*Yes luv?*' gwenodd y ddynes ar y stondin gawl.

'Ymmm,' petrusodd Mathew.

'Ty'd 'laen, wnei di,' brathodd Lara.

'Dw i'n methu dewis.'

'Drwg gormod o ddewis, yli.'

'Alli di'm ca'l gormod o ddewis, siŵr.'

'Medri! Achos os ti'n mynd i *supermarket* i brynu iogyrt, tydi o'm ots os oes yna un ffridj 'ta *aisle* cyfan ohonyn nhw, dim ond un w't ti isio yn y diwedd, 'de?'

'W't ti'm isio gweld gwahanol iogyrts, i weld pa un 'di'r gora?' holodd Mathew yn ddidwyll.

Na, doedd hi ddim. Os oedd gormod o ddewis, roedd rhywun yn teimlo pwysau i wneud y dewis iawn. Lleia'n byd o ddewis, lleia'n byd o amser a gâi ei wastraffu wrth ddewis. Felly y tybiai Lara ac roedd deddfau effeithlonrwydd yn ei chefnogi: deddf amser a symudiad. A fo oedd ei dewis hi'r noson honno.

Ond chafodd hi ddim llonydd unwaith roedd hi'n ôl ar y stad. Safai *o* yno fatha rhyw gwmwl du yn atal y sêr rhag disgleirio. Yr un hen arogl. Yr un hen lais.

'Lle ti 'di bod?'

Roedd Daniel yn disgwyl amdani yn y coridor concrid rhwng eu tŷ nhw a'r tŷ drws nesaf. Ceisiodd gerdded heibio iddo a sylwodd bod ei lygaid yn achwyn o dan ddylanwad rhywbeth.

'Welis i chdi,' meddai'n rhwystredig, cyn tynnu'n galed ar ei sigarét. 'Slag!'

'Sut bo fi'n slag? 'Dan ni 'di gorffan ers bron i fis!' taerodd Lara.

Anwybyddodd Daniel y cwestiwn. Fu rhesymeg erioed yn rhinwedd gref ganddo. Nodiodd at y bag clir a'r presant oren a ddaliai hithau mor ofalus yn ei llaw.

'Gin y pwff bach 'na o'r band ges di hwnna?'

Doedd ganddi ddim amynedd.

'Symud o'r ffordd.'

Ceisiodd gyrraedd y drws, ond roedd Daniel yn llenwi'r coridor caeëdig.

''Dan ni'm digon da i chdi. Rŵan bo chdi 'di setlo?'

''Di hynna ddim yn wir.'

'Pam est ti a gada'l fi, Siôn a Tom gynna 'ta?'

'O'dd Elin 'di mynd.'

'Ac o'dd y pwff yn disgwl amdana chdi. 'Di o'n gwbod dy hanas di...?'

Gafaelodd yn ei garddwrn ond llwyddodd hithau i dynnu i ffwrdd. Roedd tincial ei breichledau yn atseinio yn y gwagle. Rhaid ei fod wedi synhwyro gwendid ynddi, oherwydd ychwanegodd yn dawel, 'Ti'm 'di deud pob dim wrtho fo eto, 'lly.'

Gwenodd Daniel yn fygythiol ond daliai'r her yn ei llygaid hi. Eto, doedd Lara ddim yn gyfforddus ei fod o'n gwybod cymaint amdani. Hi edrychodd i ffwrdd gyntaf. Roedd hi'n deisyfu am ddiogelwch ei chartref.

Ar ôl profi ei oruchafiaeth, gadawodd Daniel iddi fynd i mewn i'r tŷ. Fe'i clywodd yn rhegi o dan ei wynt wrth iddi ddianc o'r düwch i mewn i oleuni'r lolfa. Nid bod arni hi ei ofn, ond doedd ganddi mo'r nerth heno i ddadlau efo fo a'i ego gwan.

Ar ôl rhoi'r pysgodyn mewn powlen glir, agorodd

ddrws y llofftydd a meddalu wrth weld y pentyrrau bychain yn cysgu'n sownd. Roedd Aaron a Nicola wedi setlo yma'n syth ac wedi addasu i'w hamgylchiadau newydd yn dipyn haws na hi. Wrth ddiosg ei dillad yn y tywyllwch cafodd Lara gip yn y drych o'r tatŵ i'r dde o'i botwm bol. Y ffenest agored. Yn gofnod wedi'i grafu am byth ei bod hi'n chwilio am rywbeth, neu rywle, neu rywun arall o hyd.

Dydd Sadwrn

Un peth da am weithio yn Spar oedd ei bod hi'n cael darllen y cylchgronau i gyd am ddim. Medrai hefyd helpu ei hun i'r siocled oedd wrth y cownter pan na fyddai hi wedi cael bwyd cyn shifft. Roedd Lara'n gyfarwydd â chylchdro'r llygad barcud ac felly'n medru amseru'r 'dwyn' tra byddai'r camera'n pwyntio at y sosej rôls.

Sglaffio ei brecwast siocledaidd yn llechwraidd roedd hi a darllen cylchgrawn pan glywodd y drws o grombil y storfa yn agor. Roedd wrthi'n cnoi'n ddeheuig pan ddaeth Mr Hamilton o'r swyddfa gefn, yn cario ei glipfwrdd ac yn mynnu ei bod yn edrych ar ddyddiadau'r stoc yn y ffridj.

'Mm-hmmm,' cydsyniodd, gan storio gweddillion ei byrbryd yng nghefn ei cheg fel bochdew.

'Ro'n i 'di meddwl gofyn i Elin ond mae hi'n sâl,' ychwanegodd Mr Hamilton, cyn astudio ei hymateb.

'O'dd hi'n cwyno efo poen bol neithiwr,' ategodd Lara yn gelwyddog.

Gwyddai cystal â Mr Hamilton nad oedd Elin yn sâl. Roedd hi wedi derbyn neges destun y bore hwnnw yn gofyn iddi gytuno â'r un egsus. Byddai sôn am rywbeth amwys fel 'cur pen' neu 'boen bol merched' yn achosi i'w bòs wrido a newid y pwnc. Roedd ei anesmwythyd o yn fantais iddyn nhw ac er bod Lara'i hun wedi llyncu dwy barasetamol at ei chur pen y bore hwnnw roedd hi'n gorfod bod yn ddibynadwy. Allai hi ddim fforddio peidio â gweithio.

"Dach chi'n cofio bo fi off fory, yndach?' gofynnodd Lara ar ôl llyncu'r siocled.

Ochneidiodd. Roedd Mr Henderson yn hoffi ochneidio. Roedd yn ferthyraidd o bwysig am ei fod wedi cael ychydig o bŵer a chlipfwrdd.

'Ond ti lawr ar y rota.'

'Ond dw i 'di deud ers wsnosa.'

'Ma rhywun wedi newid y rota, felly.'

'Ydi hi'n bosib ei newid o er mwyn i mi ga'l diwrnod off?'

Ochenaid arall.

'Mae o'n bwysig,' ychwanegodd Lara yn ddidwyll.

'Ddim mor bwysig â'r ffridj, ar hyn o bryd,' adroddodd Mr Hamilton, gan basio'r sticeri oren iddi.

Amneidiodd Mr Hamilton tuag at gefn y siop, cyn mwmial am drio 'sortio rhywbeth cyn diwedd y dydd'. Chwarddodd Lara wrth sylwi ar ei gyndynrwydd. Pawb at y peth y bo, beryg. Ond roedd hi'n grediniol ei bod hi'n bwysicach iddi fynd ag Aaron a Nicola i'r ffair er mwyn trio anghofio be ddigwyddodd bum mlynedd ynghynt na gwerthu *Sunday Mirror* i'r cwdyn yna yfory.

Felly, treuliodd Lara y bore yn trefnu potiau iogwrt yn rhesi syth fel milwyr, gan roi sticeri oren *Reduced* ar y rhai oedd yn agos at gyrraedd eu dyddiad gwerthu. Gwenodd wrth estyn i gefn y rhewgell a bachu'i bodiau am ddau dwb oedd wedi cael eu gwasgu i'r cefn, fel aelodau swil o gôr. Tynnodd y treifflau i'r tu blaen fel mam falch, gan osod y ddau'n agos at ei gilydd, ac ar wahân i'r myrdd o Muller Fruit Corners.

Yn nes ymlaen, pan ofynnodd Mr Hamilton iddi dynnu'r rwtsh oddi ar y drws, fe welodd lun o Mathew ar y poster yn hysbysebu'r gìg. Prin y medrai hi weld ei lygaid y tu ôl i'w ffrinj. Ond roedd hi'n adnabod y wên swil. Gwenodd hithau, cyn gwgu o gofio nad oedd o wedi ateb ei neges destun ynglŷn â dod draw am dreiffl. Doedd o ddim fel y hi i 'symud gynta' yn dilyn dêt ac felly roedd y gêm yn teimlo'n wahanol i'r arfer. Ond roedd mwy i'w stori nhw nag un gusan neithiwr, meddyliodd. Gobeithiai.

Wrth gerdded tua'r cefn, roedd hi ar fin rhoi'r poster yn y bin ond ailfeddyliodd, a'i stwffio i mewn i'w bag.

Oherwydd iddi fod yn dojo, roedd Lara'n gorfod cyfarfod Elin ar y Maes, ymhell o olwg Spar. Gwisgai honno sbectol haul mawr ac roedd ei gwallt melyn wedi'i guddio o dan sgarff sidan.

'Ti'n trio edrych fatha rhyw sbei neu rwbath?' gofynnodd Lara, dan wenu.

''Nes di'n nabod i?' holodd Elin yn siomedig.

'Do, siŵr.'

'Sut?'

'Achos 'nes di ddeud wrtha fi am gyfarfod chdi wrth ymyl Lloyd George.'

'O, do 'fyd,' meddai Elin, gan lacio ei sgarff ac arddangos y *love bite* mwyaf erioed ar ei gwddf.

'Sam o'dd y *vampire*?'

'Mae o'n goooojys,' broliodd Elin, a'r wên yn llenwi'i hwyneb.

'Yr un mor goooojys ag oedd Siôn a Tom o'i flaen o?'

pryfociodd Lara, yn ymwybodol o duedd Elin i wirioni'n hollol ac yn sydyn efo un hogyn ar ôl y llall.

'Mwy gojys. Mae o yn y Crown rŵan,' meddai heb unrhyw hunanymwybyddiaeth. 'Ty'd!'

'O blydi hel. Fydda i'n gwsberan eto 'lly?' Oedodd Lara'n styfnig.

'Hy! O'n i'n Frenhines y Gwsberis ar Blaned y Beris Gwyrdd Mwya Erioed pan oedda chdi efo Daniel!'

'Lwyddis di i ga'l cwmni Siôn... a Tom 'fyd,' meddai Lara'n chwim.

'Disgw'l am Sam o'n i go iawn!' brathodd Elin yn hunanfeddiannol, cyn troi ar ei sawdl.

Pan gerddon nhw i mewn i'r Crown roedd Daniel, Siôn, Tom a Sam yn sefyll yno fel bwrdd Guess Who.

'Haia, del,' winciodd Daniel ar Lara, fel petasai dim wedi digwydd neithiwr.

Anwybyddodd Lara'r sylw. Yn union fel yr anwybyddodd ei gais am gêm o pŵl.

''Sa rwbath yn digwydd efo'r Welshi Welsh, 'ta ti'n ignorio fo heddiw?' holodd Elin.

'Welshi Welsh?' gofynnodd Lara.

'Mathew, 'de.'

'Sut ti'n gwbod... ?' cychwynnodd, ond yna cofiodd fod Daniel yn dweud popeth wrth Sam.

'Mae o fan'cw 'sti,' meddai Elin.

'Pwy?'

'Welshi Welsh.'

Ac er iddi ei dwrdio am ei alw'n hynny, llamodd ei chalon.

*

Ond doedd Mathew ddim mor awyddus o'i gweld ag y disgwyliai hi.

Roedd Lara'n dechrau amau ei fod o'n difaru am neithiwr ond roedd ei lygaid yn gwenu. Dechreuodd amau fod Daniel wedi ymyrryd ond roedd llygaid hwnnw ar bêl ddu'r bwrdd pŵl ym mhen draw'r stafell. Efallai mai swildod diffyg seidar oedd arno, tybiodd, ond roedd llygaid Mathew yn chwilio'r stafell yn wyllt, fel petasai ar binnau. Yna mi welodd hi'r dyn yn ei ddilyn. Y dyn a fynnai fodc, yn Spar. Ei dad. Ac roedd hi'n deall pam bod ei lygaid yn troelli a bod nerfusrwydd yn ei lais. Roedd ganddo gywilydd.

A dweud y gwir, roedd Lara'n ddrwgdybus o bobl a gawsai fywyd yn rhy hawdd achos y rheiny, fel arfer, fyddai'n creu problemau iddyn nhw'u hunain. Felly y byddai Elin i raddau: yn creu drama o'r pethau bach oherwydd nad oedd y pethau mawr wedi digwydd iddi eto. Nid ei bod hi'n ei beio am hynny, ond roedd popeth yn gymharol, fel y cydsyniai ei mathemateg. Felly doedd Lara erioed wedi teimlo mor agos at neb ag y teimlai at Mathew pan gerddasant allan o'r Crown ar y p'nawn gwlyb hwnnw.

Chwarddodd yn afreolus wrth weld Mathew yn neidio pan laniodd defnyn o law ar ei gôt. Roedd y creadur bach yn ofni cyrch awyr o din gwylan unwaith eto. Ond fo a fu'n chwerthin wedyn ar ôl mynnu ei llusgo hi'r castell, gan smalio eu bod yn rhedeg i mewn heb dalu.

Doedd hi ddim wedi bod yn y castell ers iddyn nhw

symud yno. Roedd o'n rhy ddrud ac yn rhy boenus iddi. Er gwaethaf ei hedmygedd o'r tu allan doedd hi ddim wedi bod yno ers pan fu hi efo'i mam ar drip amser maith yn ôl. Roedd hi'n cofio'r diwrnod yn iawn, yn chwarae cuddio yn y twnelau tywyll rhwng y tyrau, a'i mam bob amser yn gadael iddi hi ennill. Yn gadael i Lara ddod o hyd iddi bob tro. Ella mai arbed yr holl flynyddoedd o golli roedd hi achos doedd dim dwywaith pwy oedd yn ennill y gêm honno erbyn hyn.

Roedd hi'n brofiad rhyfedd i Lara weld y lle o'r tu mewn. Cof plentyn oedd ganddi o'i gonglau dirgel ac roedd ei weld trwy lygaid hŷn ac yng nghwmni anturus Mathew yn gwneud iddi deimlo'n saff. Roedd hi'n mwynhau'r daith ddirgel i lefydd nad oedd hi wedi bod ynddyn nhw ers talwm. Gwnaeth hi hyd yn oed fwynhau'r daith i fyny i Dŵr yr Eryr er gwaetha'r cur yn ei chluniau. Doedd hi erioed wedi bod i fyny yno na gweld yr olygfa honno o'r blaen. Ac roedd hi'n rhyfedd gweld y lleoedd cyfarwydd hynny o ongl hollol wahanol. Gwibiodd ei llygaid i Ynys Môn, y cei a'r Crown, a rhyfeddu at y persbectif gwahanol a gawsai o fod mor uchel. Roedd hi'n hoffi bod yn uchel, yn hoffi medru gweld y tywydd ar y gorwel cyn iddo gyrraedd.

'Ma hi 'di stopio bwrw,' cyhoeddodd Mathew, gan dynnu ei hwd oddi ar ei ben.

Gwelodd Lara yr haul yn sbecian o dan y cwmwl tywyll. Dychmygodd mai fel hyn y byddai hi wrth sefyll ar y nengrafwyr yn Llundain, Efrog Newydd neu Dubai. Roedd cymaint o lefydd i'w gweld yn y byd.

'Dylia chdi gyfarfod Efa, 'yn chwaer i,' meddai

Mathew. 'Ma honno 'di bod ym mhobman. Teithio am flwyddyn ac wedyn bôrio pawb am flwyddyn arall yn siarad am y llefydd egsotig i gyd.'

'Braf,' gwenodd Lara wrth ddychmygu ei hun mewn llefydd egsotig.

'Does 'na'm byd yn stopio chditha.'

Ei gobaith hi fyddai cael cyfle i deithio. Roedd Mathew yn tynnu ei llygaid at orwel oedd ymhellach na'i chynefin. Yn ailddeffro'r breuddwydion hynny oedd wedi'u claddu'n ddwfn. Yn rhy ddwfn, tybiodd, wrth gofio am ei theulu.

'Ella,' meddai hithau.

Gair a oedd yn gyforiog o bosibiliadau, ond un a oedd hefyd yn awgrymu bod Lara wedi derbyn ei ffawd.

Rhoddodd ei phen ar ei ysgwydd yn reddfol. Roedd arogl powdwr golchi a mam dda ar Mathew. Gafaelodd yntau amdani a'i thynnu i'w gesail. Y ddau yn dweud dim. Yn hapus yn y tawelwch heddychlon. Ella mai yno y buasen nhw wedi aros am dipyn, heblaw i ryw dwristiaid Americanaidd weiddi eu presenoldeb ymhell cyn iddyn nhw ymddangos. Cwyno am y grisiau roedden nhw ac ar ôl eu gweld, gallasai Lara'n hawdd goelio fod y dringo wedi bod yn straen. Roedden nhw i gyd yn anferth, a hithau'n gyndyn o rannu'r llecyn hudolus â dieithriaid.

Er eu bod yn fyr eu hanadl, roedd yr Americanwyr wedi rhyfeddu at yr olygfa ac at hanes y castell. Roedden nhw wedi tarfu ar y llonyddwch ac eisiau llun o hyn a'r llall ac yn rhyfeddu fod Mathew a hithau yn Gymry, ac yn siarad Cymraeg.

'*How awsome!*' meddai un, gan edrych arnyn nhw fel petasen nhw'n rhywogaeth brin.

Rhegodd Lara nhw am darfu ar eu heddwch wrth i'r un drewllyd ofyn i Mathew ddweud enw'r lle bach od yna efo enw hir hir hir.

'Llan-fair-pwll-gwyn-gyll-dw-i'n-drewi-o-chwys-go-go-goch,' meddai Mathew heb wên ar ei wyneb.

Trodd Lara ei phen yn sydyn a gweld ei lygaid yn pefrio'n ddrygionus o dan gyrtan ei wallt.

'*Sweet!*' meddai'r drewllyd.

Dyma'r llall wedyn yn gofyn be oedd enw'r ynys yr ochr draw i'r dŵr yn Gymraeg.

'*Anglesey, is it?*'

'Ynys y Cedor,' meddai Mathew, yn dal i gadw wyneb syth.

'*How do you pronounce that?*'

'Ce-dor,' meddai Lara, gan ymuno â'i gellwair. "Ce' *like Special K and* 'dor', *like... um, well a door!*'

'*Kay-door. We might take a trip to Ynys y Kaydor tomorrow.*'

'*Ask for directions if you can't find the way!*' gwaeddodd Mathew, cyn i'r ddau ddianc i dywyllwch y grisiau gan dagu eu chwerthin.

Ar ôl dringo i lawr y grisiau troellog cawsant snog yn nhywyllwch y waliau trwchus. Eu gwefusau yn eu huno'n bartneriaid yn eu direidi. Bellach yn dîm.

*

Ond doedden nhw ddim yn dîm pan benderfynodd Mathew fynd i weld y bali seicig. Roedd Lara wedi amau mai'r ddiod oedd yn siarad neithiwr ac wedi gobeithio mai mwydro meddw oedd o. Ond roedd rhywbeth yn ei gosi, felly gadawodd iddo grafu.

Roedd hi'n berffaith hapus i fynd i nôl tships, a'u bwyta wrth wylio'r chwrligwgan bach yn troelli. Ceisiodd benderfynu beth fyddai hi'i hun wedi'i ddewis fel cerbyd: y trên, y ceffyl, yr injan dân neu'r awyren? Heb yn wybod, roedd hi'n dilyn plentyn penfelen a oedd wedi gwirioni ar gefn ei awyren goch. Roedd hi'n dal i wenu, tan y daeth o ati.

'Mi dala i os w't ti isio mynd arno fo,'

'Callia,' meddai, gan gamu oddi wrth Daniel.

'Ti 'di arfer reidio petha drutach na hynna rŵan, do?' ychwanegodd wrth droi o'i hamgylch. 'Hogia Coed Mur, ella?'

'Ti'n pathetig, Daniel.'

'Medda hi, sy'n codi yn y byd.'

Roedd hi'n flin am ei bod wedi colli golwg ar y plentyn bach yn ei awyren goch. Ond daliai Daniel i gerdded o'i chwmpas yn synhwyro'i hanniddigrwydd. Felly, trodd i edrych arno. Os mai sylw roedd o eisiau, yna mi gâi o sylw. Cynta yn y byd y digwyddai hynny, cynta yn y byd yr âi o oddi yno.

'Ti'm yn siarad efo sgym fatha fi dim mwy?' meddai Daniel yn boenus.

'Ti'm yn sgym, nag wyt.'

'Ond ti'm isio fi ddim mwy.'

Ysgwyd ei phen yn ddiamynedd wnaeth Lara. Roedd Daniel yn cynnig y medrai o gael gair efo'r Mathew 'ma pe bai hi eisiau. Dweud wrtho sut un oedd hi go iawn.

'Gad iddo fo. 'Di o'm 'di g'neud dim byd.'

Difarodd ar unwaith iddi godi i'r abwyd.

'Mae o'n siŵr yn meddwl bod o'n 'nabod chdi, ond 'di o ddim 'di clywed am yr *issues* eto, nag 'di.'

'Dan... '

'... nac am yr habit.'

Toedd hi ddim yn medru coelio bod hyd yn oed Daniel yn fodlon crafangu mor isel â hynny.

'Fydd o'm isio chdi wedyn, saff i ti.'

'Dw i 'di stopio,' meddai'n herfeddiol.

Cododd Daniel ei ael. Daliodd Lara'i lygaid er mwyn dangos ei bod hi o ddifri. Stopiodd. Roedd hi'n gryf. Ond erbyn hyn roedd ei lais o'n dyner.

'Alli di'm cwffio yn erbyn be w't ti... na be ydi o.'

''Di o'm busnas i chdi.'

'Ond dw i'n dy ddallt di, dydw.'

Roedd o'n deall elfen ohoni, oedd, meddyliodd Lara. Ond pwy sy'n deall unrhyw berson arall go iawn? Fedrai o ddim gweld na deall ei bod hi eisiau llonydd. Dewis be roedd o eisiau ei ddeall wnaeth o. Un ai hynny neu mi roedd o'n rhy dwp i gymryd yr hint. Roedd hi hyd yn oed wedi dechrau ei bitïo pan ddywedodd ei fod o hyd yn oed yn deall arwyddocâd fory. Pwy arall sy'n deall pwysigrwydd y diwrnod hwnnw iddi? Efallai ei fod o'n deall mwy nag roedd hi'n ei feddwl. Am eiliad, teimlai atynfa eu gorffennol rhyngddyn nhw ond wedyn sylweddolodd mai dyna'n union y ceisiai wneud. Roedd o'n defnyddio ei gwendid i'w darostwng. I geisio'i rheoli. Ella nad oedd o mor dwp â hynny wedi'r cwbwl.

"Nei di jyst torri'i galon o,' oedd ei eiriau cyn iddi ddianc i ganol y dorf.

Dyna'r geiriau a oedd yn cylchdroi yn ei phen wrth fynd i chwilio am Mathew.

*

'G'neud ffortiwn ma honna, dim 'i ddeud o,' brathodd Lara, wrth edrych yn ôl tuag at y garafán fechan, yn methu coelio mai dyna lle'r oedd o wedi bod a'i gadael hi'n agored i eiriau Daniel.

'Ond roedd fatha'i bod hi'n gwbod petha am yr hyn sy'n mynd i ddigwydd,' ceisiodd Mathew ymresymu'n ddiniwed.

Doedd Lara ddim yn ei ddeall. Be oedd yr ots os oedd o'n gwybod beth fyddai'n mynd i ddigwydd neu beidio? Yr un fyddai'r hafaliad, a'r atcb. Roedd fel yr ornest rifau ar *Countdown* – dau gystadleuydd yn cyrraedd cyfanswm cr eu bod wedi defnyddio'r rhifau mewn ffyrdd gwahanol.

'Ti angen *chillio*. Go wir, rŵan. Ti'n hollol *obsessed* efo'r holl beth,' brathodd.

Gwyddai ei bod wedi snapio ond doedd ganddi ddim amynedd efo rhywun yn malu cachu am be fysa'n medru digwydd mewn diwrnod, wythnos neu flwyddyn. Cychwyn wrth ei thraed a chario 'mlaen fyddai hi wastad yn ei wneud. Roedd hi wedi ymarfer ei meddwl i beidio â chanolbwyntio ar ddim arall ond y llwybr uniongyrchol o'i blaen. Dyna fyddai hi'n trio'i wneud bob eiliad o bob dydd gan obeithio, er mwyn y nefoedd, o gerdded yn ddigon hir, y buasai'n cyrraedd rhywle o werth yn y pen draw.

O adeiladu'r brics fesul un, roedd posib adeiladu wal. Dyna dybiai hi. Ond roedd hi'n poeni bod Mathew wedi dechrau adeiladu wal rithiol na fyddai'n hawdd i'w dymchwel. Roedd geiriau'r seicig wedi gafael ynddo a doedd dim perswadio arno fel arall. Sylwodd ar hynny pan dderbyniodd alwad ffôn, gan fod y lliw wedi llithro o'i wyneb er gwaetha goleuadau amryliw'r ffair.

'Be sy?'

'Sori, ond ma raid i fi fynd adra.'

'Y seicig sy 'di deud wrtha chdi?' Roedd hi'n difaru gwamalu pan ddaeth yr ateb.

'Paid, wir. Ma rhwbath ma hi 'di ddeud newydd ddod yn wir.'

'Be?'

''Nath hi sôn am dân,' sniffiodd, gan gychwyn cerdded i ffwrdd. 'Ma Dad 'di syrthio i gysgu wrth gwcio bwyd yn y tŷ.'

Ceisiodd Lara dreulio'r wybodaeth.

'Blydi llanast,' meddai Mathew.

'Y tân?'

'Dad,' gwenodd yn drist.

*

'Dad!' meddai Lara'n syn wrth gyrraedd y tŷ. Roedd hi wedi tybio'u bod ill tri wedi mynd i'r sinema.

'Pam bo chi'm allan?'

'Ma gin i joban bora fory.'

'O'n i'n meddwl bod ni i gyd yn mynd i'r ffair efo'n gilydd?'

'O'n i'm yn licio gwrthod y pres.'

'Dim pres ydi bob dim, naci?' Methodd â chuddio'i siom.

'Dw i'n trio 'ngora, Lara.' Gwasgodd ei thad ochr ei geg yn gam. 'Yli, 'nes i safio be 'swn i 'di wario yn y sinema i chi gael joio fory.'

Gyda hynny, mi giliodd i'r lolfa at gariad digwestiwn y ddau fach. Fel petasai'r oriau yng nghwmni Mr Hamilton wedi cyrraedd eu pinacl anorfod, mi ochneidiodd Lara'n drwm. Joio? Nid ei arian oedd hi eisiau gan ei thad fory ond ei gwmni. Ond roedd o ar gwest oes i'w gynnal, fel petasai'n ceisio unioni'r cam a wnaethai ei wraig trwy adael. Beth bynnag oedd briw ei thad chafodd Lara erioed mo'i weld. Doedd hi erioed wedi gorfod cwestiynu ei gariad llwyr tuag atynt er nad oedd o wastad yn medru bod yno i ddangos hynny.

*

Manteisiodd Lara ar y tawelwch yn y tŷ i fodio trwy hen lyfrau ei mam. Anaml y câi'r cyfle i edrych arnyn nhw erbyn hyn. Roedd ei mam hefyd yn licio Maths. Dyna un peth roedd Lara wedi'i etifeddu ganddi. Roedd hithau'n licio medru deall pethau. Cofiai ei mam yn egluro pwysigrwydd patrymau iddi. Oherwydd dyna oedd mathemateg yn ei hanfod – astudiaeth o nifer, strwythur, gofod a newid.

Pan fedrai Lara ddeall rhywbeth, meddai ei mam wrthi, yna roedd yn haws iddi ei gracio. Roedd unrhyw beth yn haws i'w gracio pan fyddai rhywun yn medru gweld y patrymau. Wedyn mi agorodd hi'r llyfr mathemateg a dangos holl batrymau byd natur iddi. Cofiodd weld darlun Leonardo da Vinci o'r Dyn Vitruvian, a'i goesau a'i freichiau wedi'u hestyn allan mewn sgwâr a chylch. Eglurodd ei mam y gymhareb fod taldra pob dyn yn hafal i'r pellter o law i law wrth ymestyn ei freichiau, a bod mathemategwyr yn defnyddio'r gymhareb berffaith hon mewn pensaernïaeth i sicrhau bod adeiladau'n hardd. Rhyfeddodd Lara fod un peth yn medru arwain mor naturiol at y llall.

Cofiodd hefyd droi'r ddalen a gweld diagram a oedd yn edrych fel malwen, a'i mam yn egluro am Ddilyniant Fibonacci. Eglurodd fod y graff bach yn llawn o sgwariau o wahanol faintioli, a'u bod yn egluro'r cymarebau a wnâi bopeth yr un fath trwy natur yn gyfan gwbwl. Fod cymhareb euraidd yn glynu natur a mathemateg yn batrwm pendant efo'i gilydd.

Roedd ei mam wedi dysgu Lara i weld mai mathemateg oedd wedi datrys y patrymau hudol hyn i gyd a'i fod felly yn fwy na syms diflas ar bapur a fyddai'n achosi cur pen. Ond doedd 'run cur pen yr un fath â hwnnw a gâi Lara bob tro y ceisiai ddatrys patrwm ymadawiad ei mam.

Estynnodd Lara am un llyfr penodol, gan wybod bod enw ei mam arno yn ei llawysgrifen gain mewn pensil. Sylweddolodd fod ei mam yn pedoli'r 'L' fel hithau. Yn batrwm natur arall. Sylweddolai Lara fod ei bywyd hi'n llawn patrymau a bod iddynt ddilyniant penodol. Yn llawn trefn, yn oruchwylion beunyddiol fel codi a mynd i weithio neu'n godau cymhleth geneteg oedd yn golygu bod 'L' ei llawysgrifen hi yr un fath ag 'L' llawysgrifen ei mam. Gwelodd eu bod yn nwylo'r unigolion pa batrymau bynnag roedden nhw'n eu creu. Oherwydd gallasai pethau newid yn sydyn. Chwarddodd. Roedd hi'n dechrau mwynhau'r patrwm newydd oedd i'w bywyd hi. Roedd Mathew yn batrwm newydd, cyffrous. Er gwaetha ei ginc. Seicig, wir. Roedd y boi yn sofft, siŵr. Bechod.

Dydd Sul

Cyn iddi gael cyfle i feddwl am arwyddocâd y diwrnod, roedd Lara wedi cael ei phlicio'n ddisymwth o'i chwsg gan y teledu swnllyd.

"Dach chi'n fyddar 'ta be?' gwaeddodd, wrth daranu i lawr y grisiau at y ddau.

'Helpu Nemo 'dan ni,' atebodd Aaron, gan grychu'i drwyn wrth i Lara ostwng y lefel sain a diffodd yr holl oleuadau.

'Helpu Nemo?!'

Edrychodd ar y bowlen yn ddryslyd.

'Ia,' atebodd, fel petasai Lara'n wirion i beidio â gweld synnwyr hynny'n syth.

'Sut bod teledu sy'n deffro Mr Jones drws nesa yn help i Nemo?'

'Ofn bod o'm yn licio yma 'dan ni,' meddai Nicola a'i gwallt cyrliog yn dal i ddangos ôl y gobennydd. Suddodd calon Lara.

'Does 'na'm rheswm pam na fysa fo'm yn licio yma, nag oes?'

'Mae o 'di arfar byw mewn ffair, dydi?' meddai Nicola, gan fyseddu'r bowlen fel petasai'n darllen meddyliau'r pysgodyn.

'Ma hi'n *boring* yn fa'ma o'i gymharu â'r ffair, ma'n siŵr,' ychwanegodd Aaron.

Chwarddodd Lara ar ddiniweidrwydd eu hymresymu.

'Pa mor hir ma'n nhw para?' holodd Nicola,

Cwestiwn anodd, tybiodd Lara.

'Gawn ni weld… '

Ella bydd o yma fory, meddyliodd, neu ella fyddan ni'n gorfod ei fflyshio fo i lawr y toilet.

'Dw i isio iddo fo fyw'n hir,' meddai Aaron yn bendant.

Edrychodd ar y pysgodyn bach, a fu'n dyst i gymaint o'i bywyd yn barod. Yn anymwybodol fod tri phâr o lygaid yn ei wylio. Roedd hithau eisiau iddo fyw am amser hir hefyd. Ond roedd hi'n gwybod nad y hi fyddai'n pennu hynny. Wrth swatio ei brawd a'i chwaer yn glyd yn ei cheseiliau roedd hi'n methu coelio bod ei mam wedi dewis eu gadael

Sut ma'r lie-in? Rhei o'nan ni'n gweithio tra bo ti off. Bymar! X

Bymar, wir! Ysgydwodd Lara ei phen wrth ddarllen neges Elin. Bymar oedd gwybod bod ei thad yn fwriadol wedi dewis gweithio heddiw. Bymar oedd gorfod mynd â'i brawd a'i chwaer fach i fwrlwm y ffair rhag iddyn nhw ddechrau holi am ei thristwch hi. Doedd ganddi ddim amynedd i ateb y neges.

Oi oi, diogyn. Bowlio wedyn?

Mae'n rhaid bod Elin wedi ditlasu efo Mr Hamilton, tybiodd Lara wrth i'r ail neges brocio ar gydwybod y diffyg ateb i'r gyntaf.

Callia. Gei di a Sam fynd eich hunain. N ffair fo A a N. Cofia fi at y clipboard X

Braf ar rei. Els x

Oedd, mi oedd hi'n braf, meddyliodd Lara wrth wylio wynebau eiddgar Aaron a Nicola'n diflannu am dwnnel cyntaf y trên sgrech. Gwenodd a chodi bawd wrth weld gwefus isaf Nicola'n dechrau crynu wrth feddwl beth oedd yn ei hwynebu yn y tywyllwch. Roedd Aaron yn gafael yn dynn am ei chwaer, yn amddiffynnol. Y ddau wyneb diniwed oedd ar fin meddwl fod gwe pry cop ffug yn arswydus, heb sylwi eu bod eisoes wedi profi a goroesi ofn llawer mwy brawychus nag unrhyw fwgan ffals.

'Ha ha!' Pwyntiodd Aaron at droed Lara wrth iddi dynnu'i hesgidiau yn barod i fynd ar y castell bownsio.

Cywilyddiodd Lara wrth weld fod bodyn ei throed yn sbecian allan o'r twll yn ei hosan, gan ymwthio'n ddiog o'r clydwch fel rhyw grwban o'i gragen. Crebachodd Lara ei throed gan ei gosod yn ofalus ar wyneb ei brawd. Neidiodd yntau i osgoi erledigaeth y sarff wlanog. Roedd ei chwerthin yn diasbedain o blastig y waliau wrth iddo neidio'n llon i gôl y castell.

Ar ôl plygu ei hosan i guddio'r twll o dan ei throed, ymunodd Lara â'r plant. Buan iawn y sylweddolodd Aaron a Nicola fod ei neidio hi ar donnau uchel y plastig yn golygu bod y ddau ohonyn nhw'n gwibio i fyny wrth iddi hi ddisgyn. Dim ond iddi barhau ar yr un rhythm pendant, fyddai 'run o'r ddau yn disgyn i'r cafnau. Dim ond iddi wneud yr un fath, byddai'r ddau'n iawn.

Roedd Lara'n difaru iddi wastraffu'i phres ar reid y cwpanau te. Bellach, a hithau wedi troelli a throelli, teimlai fod ei stumog y tu chwith allan a bod yr holl gandi fflos wedi toddi'n siwgr o'i mewn ac wedi'i chwipio 'nôl yn gwmwl, a hwnnw'n gwasgu arni a gwneud iddi deimlo'n sâl.

'Pliiiiis,' plediodd Aaron, wrth weld y rhesiad o bysgod aur yn wincio'n oren arno.

'Does gen i ddim lot o bres ar ôl,' plediodd Lara, yn rhyfeddu mor sydyn y diflannai cyflog diwrnod mewn dwy awr yn y ffair. Roedd hi wedi gadael pres ei thad ar fwrdd y gegin mewn ymgais i ymddiheuro.

'Ma'n edrych yn hawdd,' datganodd Aaron yn hyderus, wrth weld dyn y ffair yn bachu hwyaden gyda rhwyddineb sgotwr gora'r wlad.

'Fedra i ennill ffrind i Nemo?'

Roedd stumog Lara'n nyddu a doedd ganddi mo'r nerth i wrthod. Pasiodd yr arian i Aaron, gan brofi *déjà vu* wrth i ŵr y ffair holi yn ei acen estron, *'What do you want, chief?'*

'A fish, please.' Clywodd Lara ei brawd yn ateb yn chwim.

'We'll see about that, soldier,' chwarddodd gŵr y ffair, gan basio'i wialen a'i gyfle iddo.

Llenwai Mathew bob cornel o feddyliau Lara wrth iddi gefnu ar y stondin a mynd i gyfeiriad trelar bwyd cyfagos: nid ei bod hi eisiau bwyd. Eisteddodd ar y goes fetel a gysylltai'r trelar wrth y car gan daflu cipolwg tuag at y carafanau dweud ffortiwn, yn hanner chwilio am y seicig honedig. Doedd dim golwg o'r ddynas od a oedd wedi rhagdybio diwedd disymwth ei noson efo Mathew neithiwr. Doedd hi erioed wedi'i gweld a dweud y gwir, sylweddolodd. Oedd Mathew chydig bach yn od? Na, nid od: gwahanol. Yn rhy wahanol? Damia, dyna ddywedodd Daniel. Doedd hi ddim eisiau iddo *fo* fod yn iawn. Gwenu roedd Lara pan blannodd Nicola ei phen-ôl ar ei glin a dechrau mwytho'i gwallt.

'Dyma mae Mrs Roberts yn ei wneud yn rysgol,' meddai'n llawn doethineb saith mlwydd oed. 'Fyddi di ddim yn sâl wedyn.'

Gwenodd Lara, gan dderbyn ei maldod. Fyddai hi byth yn gadael i neb arall ei swcro fel hyn.

'Fa'ma 'dach chi'n cuddio, ia?'

'Dad!' Taflodd Nicola ei hun i'w freichiau, cyn egluro fel oedolyn, 'Ma Lara'n teimlo'n sâl.'

Edrychodd Lara'n llawn rhyfeddod ar ei thad. Roedd ei lygaid yn goch ond roedd ei geg yn gwenu.

'Ma hi'n edrych yn iawn i fi.' Gosododd ei thad ei ddwrn i orffwys ar ochr ei boch, gan ei hatgoffa o'r cyfnod pan oedd hithau'n blentyn yn y ffair.

'Dw i'n iawn rŵan,' cododd Lara, a'i llygaid yn pefrio'u diolch i'w thad. Diolch ei fod yno.

'Lle ma'r mwnci bach?' holodd hwnnw, yn deall ei bod hithau'n deall.

Pwyntiodd Nicola y tu ôl iddo, at ei brawd a oedd yn codi'i ddyrnau yn yr awyr ac yn rhedeg mewn cylch fel ei arwyr pêl-droed. Roedd o wedi ennill ei bysgodyn, boed hynny trwy chwarae teg neu drwy *cheek*. Gwibiodd yn ôl at ei deulu gan arddangos ei droffi yn dalog.

'Be 'di'i enw fo?' gofynnodd ei dad.

'Jaws,' atebodd yn ddireidus.

*

'Pwy ydi o, 'ta?' holodd ei thad yn ddiweddarach, tra oedd y plant ar yr olwyn fach.

'Pwy ydi pwy?' holodd Lara, yn amau fod eiliad lletchwith i ddilyn.

'Y boi newydd 'ma? O'n i'n clywad 'i fod o'n dod o Cae Mur?'

Nodiodd ei thad ei gymeradwyaeth, gan rwbio ei fawd yn ei fysedd i roi'r argraff o bres. 'Ga i stopio gwithio *double time* rŵan 'lly?'

'Paid ti â dechra,' rowliodd Lara ei llygaid yn sinigaidd. 'Ella bod o'm byd.'

'Mathew, ia?'

'Pwy w't ti: Miss Marple?'

'Cadw'r glust ar y ddaear, 'de,' winciodd ei thad.

Gwyddai Lara ei fod o'n mwynhau ei gweld yn gwingo.

'Dw i'm isio siarad amdano fo, tydi o'm byd.'

Ond gwyddai'r ddau ei bod hi'n rhaffu celwyddau.

'Fel 'na o'n i. Pan o'n i efo dy fam gynta.'

Roedd y distawrwydd yn drwm wedyn. Gwnaeth y cyfeiriad ati hi atgyfodi'r bwlch ym mywydau'r ddau a meddyliau'r tad a'r ferch yn gwibio dros bum mlynedd. Dau a oedd wedi gwthio'r un boen i ddyfnderoedd cythryblus i warchod y llall. Yn y diwedd, siaradodd Lara i lenwi gwacter y tawelwch.

'Dw i'm yn gwbod. Ella bod ni ddim yn siwtio,' meddai, gan grychu ei thrwyn.

'Ma pob dau yn wahanol,' meddai ei thad â rhybudd yn ei lais. 'Titha angen joio, cofia. Efo hogyn iawn. Dim fatha'r twmffat Daniel Morris 'na!'

'Pam 'sa ti 'di deud hynny pan o'n i efo fo?'

'Os byswn i 'di stopio chdi, 'sa ti jyst isio'i weld o fwy wedyn. O'dd hi'n haws gada'l i chdi ddysgu dy hun. Ti'n dysgu'n sydyn pan ti'n gorfod.'

'Ti'n flin efo hi?'

Roedd saib wrth iddo holi ei llygaid i weld a oedd hi'n gofyn be roedd o'n meddwl ei bod hi'n ei ofyn.

'Dim erbyn rŵan,' meddai wrth synfyfyrio. 'Blin fod gin i betha na 'nes i'm deud 'thi ella. Cyn iddi fynd.'

'Hmm.'

''Sa hi'n ca'l llond ceg gin i rŵan 'fyd!'

'A gin inna!' chwarddodd Lara. 'Ar ôl ca'l slap.'

Sylwodd ar ddeigryn yn gwasgu o gongl llygaid ei thad.

'Tydi o'n rhyfadd. Weithia dydi'r bobl sy'n dy neud di'n hapus ddim be oeddach chdi'n disgwyl iddyn nhw fod.'

'Na.'

'Dewisis i un o'r bobl mwyaf cymhleth...!'

'Do,' meddai Lara, a'i meddwl yn neidio at y nosweithiau o weiddi a chrio rhwng ei rhieni.

Gwyddai fod ei thad yn dal i garu'i mam ar ôl yr holl flynyddoedd, er gwaethaf ei hymadawiad. Roedd yn gwybod petasai hi'n cerdded atyn nhw yn y ffair heddiw y byddai'n ei derbyn yn ôl unwaith yn rhagor, er ei holl ffaeleddau.

'Dw i isio i chdi fod yn hapus.' Gafaelodd ei thad yn ei llaw.

'Finna chditha,' a gwasgodd ei law ddwy waith fel y gwnâi pan oedd yn blentyn.

Yn sydyn iawn, roedd hi am weld Mathew yn fwy nag erioed.

*

'Be 'nes di... fflio draw?!' fflyrtiodd Lara, pan gyrhaeddodd Mathew wrth i'w thad dywys Aaron a Nicola am adref.

'Newydd roi'r ffôn lawr ydw i!'

'Ma'r car gin i,' eglurodd yntau'n swil.

'Finna'n meddwl mai *keen* oeddach chdi?!' Gwyrodd Lara yn ei erbyn fel bod eu breichiau'n cyffwrdd.

'Ddois i â'r car am bo fi'n *keen*, yli,' gwyrodd yntau ati.

'Braf iawn.'

'Ti'm 'di pasio?'

'Dw i'm 'di dechra dysgu, heb sôn am basio,' medda hithau.

'A' i â chdi am sbin os byddi di'n hogan dda.'

'Be os dw i'n hogan ddrwg?'

'A' i â chdi yn bendant am sbin os ti'n hogan ddrwg!'

Heb feddwl, roedd o wedi plygu i lawr i'w chusanu, ac wrth swatio i'w gôl yn gyfforddus gwelodd Daniel yn syllu o hirbell. Tynnodd Mathew i gyfeiriad y ciw am reid ar y Chwip.

Roedd hi'n meddwl ei bod wedi osgoi unrhyw wrthdaro posib, tan iddyn nhw gael yr *hamburgers*.

Synfyfyrio am beth fyddai ei mam yn ei feddwl o Mathew oedd hi pan soniodd o am strôc. A hithau'n cofio'r stori a ddarllenodd yn un o lyfrau ei mam y noson flaenorol. Felly adroddodd y stori am Marcus Garvey. A'r *synchronicity*.

'O'dd gin Mam lyfra ar y peth. Gin i stori od i chdi. O'n i'n darllen y llyfr 'ma nithiwr,' llyncodd ei phoer cyn ychwanegu, 'o'dd hi'n licio petha fel'na. Mam... '

Ond er ei bod hi wedi rhannu atgof nad oedd wedi sôn wrth neb arall cyn hynny, doedd o ddim yn gwrando arni.

''Nath y seicig sôn am *synchronicity*!' datganodd Mathew yn llawn cyffro.

Do, mae'n siŵr, meddyliodd Lara'n syrffedus. Wnaeth hi ddim sôn pa mor bwysig ydi gwrando, mae'n amlwg. Medrai glywed muriau ei chastell yn codi unwaith eto, er cael eu dryllio rhyw gymaint gan ei anwyldeb. Beth oedd y pwynt os nad oedd o'n gwrando?

'Y pwynt ydi... os ti'n coelio be ma'r ddynes 'ma 'di deud wrtha chdi, mi fyddi di'n newid sut byddi di'n ymddwyn. Rhaid i chdi gwffio yn 'i erbyn o os ti'n meddwl bod unrhyw beth ma honna 'di ddeud wrtha chdi'n wir. Ti'n gyrru dy hun yn nyts! A ti'n mynd ar 'y nyrfs i 'fyd...'

Oedd, roedd hi wedi mynd yn rhy bell. Doedd tynerwch dosbarth canol Mathew ddim wedi arfer efo cynildeb bwyell rhywun fel hi.

Bu o'n reit dawedog am gyfnod wedyn, a hithau angen sŵn a gweithgaredd i lenwi ei meddyliau. Ond mae'n rhaid fod ei natur deimladwy wedi synhwyro rhywbeth oherwydd mi ofynnodd a oedd hi'n iawn a chynnig gadael, fel petasai'n medru gweld i mewn i'w hymennydd. Mi ddaliodd oriadau ei gar o'i blaen yn awgrymog a gwenodd hithau wrth weld dihangfa bosib. Wnaeth o ddim sôn am y tân. Felly wnaeth Lara ddim sôn am y mwg oedd yn dal i'w thagu hithau ers pum mlynedd. Nid Daniel oedd yr unig gythraul oedd yn ei phlagio hi heddiw.

*

Parciodd Mathew'r car ger y dŵr lle roedd trwyn y tir mawr bron yn twtsiad yn Sir Fôn.

'Ella rhyw ddiwrnod a' i â chdi i Ynys y Cedor!' cynigiodd Mathew yn chwareus.

'Os dw i'n bihafio?' holodd Lara. Nodiodd Mathew. 'Dw i wastad yn bihafio,' ychwanegodd yn ffug-wylaidd.

'Heblaw pan ti'n codi bys canol ar dy ex?'

Gwridodd Lara o sylweddoli ei fod wedi'i gweld.

Er mwyn cau ei geg, ac am ei bod hi eisiau, trodd i'w gusanu. Roedd hi eisiau atgofion arbennig am heddiw ac ymatebodd Mathew i'w hangerdd hithau. Toddai cenfigen Daniel yn ddim wrth i'w hysfa i uno draflyncu pob angen arall.

Roedd hi wedi gobeithio mai uno a fyddai eu hanes, wrth iddi hi feiddio tynnu ei fest. Mi stopiodd Mathew ei chusanu a dweud ei fod o wedi breuddwydio am hyn ac mi ddywedodd hithau â'i llygaid yngháu ei bod hi wedi breuddwydio am hyn hefyd. Roedd hi'n crinjio erbyn hyn, wrth feddwl yn ôl. Ond wedyn mi afaelodd Mathew yn ei hwyneb i'w hatal ac roedd hithau'n gweld bod yr ecstasi wedi troi'n arswyd yn ei lygaid.

Teimlai'n paranoid wrth ei weld o'n syllu ar ei thatŵ. Yn paranoid ei fod o'n meddwl ei bod hi'n goman. Yn paranoid nad oedd o'i heisiau hi mwyach. Roedd y paranoia'n troi'n wir. Taflodd i fyny mewn ffieidd-dod. Ceisiodd ei hargyhoeddi nad oedd hi'n dallt. Yn ei freuddwyd, dyna'r union lun a welsai. Y ffenest ar agor. Dywedodd fod y seicig wedi'i rybuddio am gadw golwg ar yr arwyddion oedd yn eu clymu wrth ei gilydd.

Ond wedi clywed y gair 'seicig', stopiodd Lara â gwrando. Medrai weld bod ei feddwl ar garlam unwaith eto. Gwelai ei lygaid yn gwibio'n wyllt i gonglau ei feddwl gan ddweud yn llawn arddeliad fod rhywbeth yn mynd i ddigwydd.

'Dim p'nawn 'ma,' atebodd hithau'n goeglyd wrth wisgo ei thop yn ôl.

Wedyn, tynnodd Mathew ei jîns yn ôl amdano cyn gyrru i'r ffair i chwilio am y bali seicig, a'i gadael hi ar ei phen ei hun. Er mai hi a fynnodd hynny, roedd y geiriau 'Plis paid â mynd' yn ddistaw ar ei gwefusau wrth iddi edrych ar yr ehangder gwag o'i blaen, a chychwyn cerdded 'nôl i gyfeiriad y dref.

Doedd hi ddim yn siŵr iawn pam na fyddai hi wedi dweud y gwir wrtho am arwyddocâd y diwrnod. Roedd Lara eisiau dweud wrtho am ei mam... ei phresenoldeb a'i habsenoldeb. Roedd hi wedi trio.

Mi driodd yntau ei ffonio ymhen rhyw awr ond anwybyddodd hithau'r alwad. Daliai i deimlo'n rhyfedd. Doedd hi ddim yn flin ond doedd hi ddim eisiau siarad ag o chwaith. Methai wynebu'r effaith a gawsai arni hi. Doedd o ddim fel yr hogia eraill roedd hi wedi'u hadnabod.

Wrth anwesu ei balchder clwyfedig ar y ffordd adref, aeth Lara heibio i'r ffair. A heb fedru egluro pam, cerddodd tuag at y garafán fel petai ei greddf yn ei denu at y gelyn. Roedd hi am weld beth oedd yr holl lol am y ddynes 'ma. Roedd hi'n benderfynol o fynd i edrych am y seicig a difrïo'i holl honiadau.

'*Alright luv?*' meddai dynes flonegog ganol oed. Hon oedd meistres meddyliau Mathew?

'*No, actually! Are you the sodding psychic that's been messing about with my boyfriend's head?*' oedd ei chwestiwn swta.

Na, oedd ei hateb pendant. Merched oedd ei chleientiaid hi i gyd dros y penwythnos, taerodd. Roedd Lara'n meddwl iddi weld cryndod yng nghyrtan y garafán gerllaw ond ella mai dychmygu'r peth wnaeth hi. Beth bynnag oedd ei rhesymau am hynny, doedd y seicig yn amlwg ddim yn dymuno ei gweld hi heno. Ofn colli, beryg. Ac roedd hithau'n siomedig o beidio â chael gwyntyllu ei rhwystredigaethau. Roedd hi wedi edrych ymlaen at gael ffrae efo rhywun diarth…

*

Wrth orwedd ar ei gwely, meddyliodd Lara am yr wythnosau y bu'n cysgu yng ngwely ei mam yn disgwyl iddi ddod adre. Yn ymbalfalu yn y tywyllwch am ei llaw. Am flynyddoedd bu'n chwilio amdani ym mhob torf, yn dal i weld ei hwyneb lle bynnag yr âi. Cyn sylwi ei bod wedi mynd. A derbyn nad oedd hi'n dod 'nôl a gorfod codi. Codi a chaledu er lles ei thad, ei brawd a'i chwaer, ond nid er ei lles ei hun.

Dydd Llun

Erbyn y bore, roedd Lara'n flin. Blin ei bod wedi meiddio meddwl bod sbarc rhyngddi hi a Mathew, a blin ei bod wedi gadael iddo'i swyno. Wrth edrych yn y drych sylwodd fod golau'r haul wedi troi ei llygaid yn wyrdd. Gwyrdd caled ac oer. Roedd yn barod am ryfel.

'Be oedda chdi'n ddisgw'l? 'Dach chi mor wahanol,' oedd sylw Elin.

Gwnaeth hyn Lara'n fwy blin. Roedd Elin, hithau, wedi cael ei llygru gan feddyliau a barn Sam. Sam a Daniel a gang y stad. Dyna lle roedd Lara fod i aros, heb feiddio edrych y tu hwnt i'r ffiniau.

Rhaid nad oedd Mathew yn ei ffansïo hi, tybiodd Lara. Ond doedd o ddim yn mynd i gael gwneud ffŵl ohoni, byth eto. Roedd holl resymeg ei hymennydd mathemategol wedi dod i'r casgliad ei bod yn bryd iddi gau'r siop. Erbyn iddi weld Mathew ar y coridor yn yr ysgol, roedd hi wedi derbyn hynny.

'Ydi Nemo 'di g'neud hi i'w drydydd diwrnod?' holodd, yn amlwg yn nerfus.

'Pam na 'nei di ofyn i dy blydi seicig?' chwyrnodd hithau, heb edrych arno.

'Ym... gwranda, Lara... ' petrusodd yntau. 'Sori os o'n i'n od nithiwr.'

Cuddiai y tu ôl i'w wallt wrth geisio edrych arni. Rhyfeddodd Lara sut medrai rhywbeth oedd mor hoffus iddi ddoe fod yn wrthun iddi heddiw.

'Sna'm isio bod yn sori. Od fu's di o'r dechra,' datganodd hithau, gan hoelio'i llygaid arno.

'Ia. Ella. Ym... o'n i jyst isio deud...'

'Ti wedi deud rŵan.'

'Do.'

Roedd saib annifyr wrth iddo edrych ar ei draed, fel petai'n cael trafferth i yrru cyfarwyddyd iddyn nhw ei gludo oddi yno.

'Wela i di wedyn ella?'

'Ella.'

Doedd dim gwên rhwng y geiriau heddiw a dim o'r chwarae mig fflyrtiog. Doedd hi ddim yn chwarae bellach. Ddim yn chwarae'r gêm gyfarwydd, efallai. Mi ddaeth y cyfle iddi chwarae gêm wahanol yn y wers Saesneg. Eisteddai hi yn ei sedd arferol, ond roedd y llygaid a fu tan neithiwr yn llawn serch bellach yn ddartiau oer.

'Sgin i'm mynadd efo fo,' poerodd Lara, pan ofynnodd Mr Gilbert am ei barn am Macbeth.

'Dim mynadd?' ymatebodd yr athro'n anghrediniol. 'Pam, felly?'

'Achos mae o'n rêl *victim*. Fo sydd wedi bod yn ddigon stiwpid i wrando ar dair *witch* ac wedyn mae gynno fo'r *cheek* i deimlo bechod drosto fo'i hun.'

'Ond ma'r petha ma'r gwrachod wedi'u deud wrtho wedi dod yn wir,' meddai llais o gefn y dosbarth ac roedd Lara'n gwybod ar unwaith pwy fyddai'n dadlau yn ei herbyn. 'Dyna sy'n ei yrru o'n nyts,' meddai Mathew. 'Fedrith o ddim rheoli'r peth.'

'Mi fedrith o reoli sut mae o ei hun yn actio, medrith?

Ma'r ffaith fod o'n gada'l i eiriau'r nytars effeithio arno fo yn dangos bod Macbeth yn wan, di-asgwrn-cefn a hollol hunanol!'

Tynnodd Cai wynt trwy'i ddannedd a gwenu'n gam ar Mathew. Roedd o'n un o'r unig rai a oedd wedi deall bod is-destun i'r ddadl danbaid rhwng y ddau gariad.

'Ydi o wir mor ddu a gwyn â hynna?' holodd Mr Gilbert, yn falch o weld cymaint o angerdd a chynddaredd yn nadleuon ei ddisgyblion.

'Ydi. Mae o'n gweld be mae o isio, mae o'n gwrthod gwrando ar neb arall ac mae o angen agor can o *toughen up* fatha rhei pobl erill dw i'n 'u nabod,' dihangodd y geiriau cyn i Lara fedru eu stopio.

'A be os ydi o ddim yn gallu?' plediodd llygaid Mathew.

'Mae o'n pathetig ac wedi sbwylio pob dim. Fatha Macbeth,' poerodd llygaid Lara.

'O'n i'n meddwl mai am Macbeth oeddan ni'n sôn?!' holodd Elin yn dwp.

Taflodd Lara ei golygon at gornel y dosbarth a sylwi bod Mathew yn edrych ar y ddesg o'i flaen a bod ei fochau wedi cochi. Gwelai ei amrannau'n sboncio i fyny ac i lawr. Roedd yn cnoi cefn ei geg mewn tensiwn. Gwenodd hithau. Roedd hi'n od sut y medrai'r un llygaid garu a chasáu ar yr un pryd. Siawns nad oedd y wers fach honno wedi'i ddysgu i beidio â'i gwrthod hi byth eto.

*

Trio'i gorau i anghofio amdano fo oedd hi yn Spar pan gerddodd John i mewn. Ochneidiodd Mr Hamilton yn uchel (doedd hynny'n ddim byd newydd, felly ni chododd Lara ei phen fel roedd o'n disgwyl iddi wneud). Ochneidiodd Mr Hamilton eto a chlirio'i lwnc. Roedd hyn yn arwydd pendant i Lara fod angen iddi godi'i golwg. Gwelodd ddyn yn ymgiprys â'r drws, yn trio dod i mewn.

''Dan ni 'di gwrthod syrfio hwn unwaith yn barod,' meddai Mr Hamilton yn awdurdodol. 'Gafon ni chydig bach o *scene*, a deud y gwir. 'I wraig o lawr 'ma. Gwrthod talu drosto fo.'

Sylwodd Lara ei fod o'n sôn am John, a gweld ei fod o bellach yn bachu potelaid o fodca oddi ar y silff dop. Am funud, credai ei fod am ei gollwng, ond llwyddodd John yn rhyfeddol i'w dal yn ei roli-poli gwyllt. Gwenodd yntau, cyn ymestyn ei freichiau allan fel *gymnast* yn gorffen rwtîn o flaen ei gynulleidfa.

'Test i dy sgilia di efo cwsmeriaid, yli,' meddai Mr Hamilton dan ei wynt, cyn dianc y tu ôl i'r cownter at y pastis poeth.

Bustachodd John at y cownter, gan wahanu'n gyndyn â'i Rwsiad ffyddlon.

'Naw punt a naw deg naw ceiniog, plis,' meddai Lara'n siort.

'Ma gin i bres yn y banc ond tydi'r banc ddim ar agor,' meddai John yn ymddiheugar.

'Ma'r banc yn dal ar agor,' meddai Lara'n gadarn.

'Tydi 'ngherdyn i ddim gin i,' meddai o.

'Dim pres: dim potel.'

'Fedrwch chi ffonio'r misus 'ta, plis? 'Neith hi dalu, fel arfer.'

'Na,' meddai hi'n bendant.

'Na?'

'Ma hi 'di deud bod hi ddim am neud hynna ddim mwy. Gynna. Pan oeddach chi yma ddiwetha.'

Cymerodd Lara'r botel oddi ar y cownter. Cyn gynted ag y deallodd John arwyddocâd ei gweithred a'i geiriau, ofnai Lara ei fod am ddechrau crio. Ond yna, ciliodd, cyn diflannu oddi yno. Rhyw hanner awr yn ddiweddarach, roedd hi wrthi'n bwydo enillion loteri cwpwl ifanc i'r peiriant loteri pan gafodd gipolwg ar sgrin y CCTV. Yng nghornel chwith y teledu, gwelodd John yn sleifio 'nôl tuag at silff y gwirodydd. Edrychodd o'i gwmpas cyn estyn am botelaid o fodca a'i rhoi mewn poced y tu mewn i'w gôt.

Am eiliad, ystyriodd Lara alw Mr Hamilton. Ond gwenodd John arni cyn gadael. Roedd hi wedi toddi i wên swil debyg iawn i honno o'r blaen.

*

'Plis, cymra beth. Ti rêl bitsh heddiw,' meddai Elin gan gynnig smôc iddi, wrth gerdded tua'r ffair am ei noson ola.

'Chdi 'di'r bitsh yn deud hynna,' meddai Lara gan frathu'n ôl.

Ond derbyniodd Lara'r smôc gan lyncu'r mwg i'w

stumog. Wrth i'w phen ysgafnhau, roedd yn dechrau amau nad oedd Daniel, Siôn, Tom a Sam mor ddrwg â hynny. O leia roedden nhw'n gwybod sut i fwynhau eu hunain ac yn fodlon rhannu eu hwyl, er ei bod hi wedi'u hesgeuluso nhw dros y penwythnos. Doedd yr un ohonyn nhw'n meddwl am seicics. Roedd hi'n gyfforddus gyda'r patrwm cyfarwydd.

Am gyfnod, roedd popeth yn ymddangos yn ddigri a hithau'n chwerthin yn afreolus wrth i'w holl synhwyrau ymateb yn rhy eithafol i bob dim. Roedd y weithred o dwrio yn tships Daniel yn rhoi boddhad y tu hwnt i'r cyffredin iddi. Llosgai ei stumog a chefn ei gwddf o eisiau bwyd ond roedd ei phen yn ysgafn. Crymodd Daniel ei law i warchod bygythiad arall wrth weld braich Lara'n hofran fel jac codi baw at y côn tships. Felly ciciodd hi o'n ysgafn.

A dyna pryd y gwelodd hi Mathew yn edrych arni. Roedd ei lygaid yn llygadu'r spliff cyn llygadu'r ffaith ei bod hi'n amlwg yn ei rhannu â Daniel.

Gwelodd hi Cai yn trio'i rwystro rhag dod draw atyn nhw ond yn ofer, gan fod Mathew'n benderfynol o siarad â hi. Doedd o ddim yn mynd i dderbyn y newid sydyn yn ei hymddygiad heb eglurhad. Roedd o'n benderfynol o wneud hyn yn anodd iddi, tybiodd Lara wrth ei weld yn anelu draw atynt. Suddodd ei chalon wrth weld fod Mathew yn feddw.

Felly, wrth i'r criw bwffian chwerthin efo'r sioe annisgwyl, aeth ati i drio egluro wrtho eu bod nhw'n dod o ddau fyd gwahanol. Fysa fo byth yn gweithio. Roedd Daniel yn iawn o'r dechrau.

'Dw i wastad yn iawn, del,' ychwanegodd yntau, efo winc fuddugoliaethus i gyfeiriad Mathew.

'Does 'na'm pwynt i ni fod efo'n gilydd.'

Ac unwaith roedd y geiriau wedi'u llefaru, roedd ei greddf yn cwffio i'w pentyrru yn ôl i lawr ei gwddf wrth weld golwg mor glwyfedig ar Mathew. Doedd Lara erioed wedi gweld neb â briw mor amlwg yn ei lygaid wrth i Cai a Rhys ei dywys oddi yno.

Ceisiodd Lara resymu â hi ei hun, cyn difaru. Petasai'n creu diagram Venn, cyfran fechan iawn o gylchoedd y ddau fyddai'n gorgyffwrdd. Roedd y tebygolrwydd i'w perthynas lwyddo yn isel. Ond am y tro cyntaf erioed, teimlai dynfa, o ran ei ddimensiwn, na allai hyd yn oed mathemateg egluro iddi. Trodd, rhag drysu ei hafaliad.

Roedd Daniel yno'n disgwyl amdani.

'Iawn?' holodd yn ddidwyll, cyn gafael amdani.

Nodiodd Lara. Gwyddai ei bod hi'n haws brifo hi ei hun na brifo rhywun arall. Dyna oedd Daniel yn ei wybod hefyd. Heb feddwl, roedd yn byseddu'r creithiau o dan ei breichledau'n nerfus wrth iddo'i harwain oddi yno. O'i chyfle i wella. O'i dyfodol.

Dywedodd Daniel ei fod am edrych ar ei hôl hi. Gafaelodd amdani'n warchodol, ond tynnu 'nôl wnaeth hi. Efallai ei bod hi'n ffarwelio â'i dyfodol, ond doedd hi ddim eisiau camu 'nôl i'w gorffennol yn syth, chwaith.

Felly, wedi i Lara dynnu'n rhydd, ymlwybrodd tuag at y tai bach, gan wrthod cais Elin am gwmni. Doedd hi ddim angen cwmni i fynd i'r tŷ bach. Dyna lle cychwynnodd y llanast yma i gyd, pan ffeindiodd hi gwmni yn y tai bach, Doedd hi ddim eisiau cwmni neb yno.

Ac, wrth reswm, ar yr union eiliad pan benderfynodd ei bod hi'n annibynnol, yn anorchfygol ac nad oedd arni angen neb, gwelodd Lara *hi*.

Hi, yn syllu arni drwy'r dorf.

Roedd rhywbeth yn gyfarwydd iawn amdani, ei gwallt du a'i hwyneb didostur. Syllai'n fwriadus ar Lara a'i llygaid trawiadol yn ei hoelio i'r llawr. Hi oedd hi, heb os.

'Helô, Lara… '

Am y tro cyntaf yn ei bywyd roedd Lara'n fud. Methai roi geiriau i'w haflonyddwch. Roedd y dyrfa'n dechrau gwasgu arni wrth i'r ffigwr mewn du wenu trwy ei gwefusau coch. Chwyrlïai sŵn aflafar yn ei phen gan wneud iddi deimlo fel petai hwnnw am ffrwydro. Trodd Lara i gerdded i ffwrdd, ond efelychodd y seicig ei chamau. Yn ddrych o'i holl reddfau. Dechreuodd Lara redeg ond llwyddodd hi i'w dilyn.

'Be ti'n neud, Lara…?'

Rhedeg. Roedd Lara'n rhedeg. Yn trio rhedeg i ffwrdd.

'Pam ti'n 'i frifo fo?'

Roedd Lara'n casáu'r holi. Yn casáu'r erlid.

Ar y bont yn ôl am y dref, esboniodd y seicig nad oedd pwynt trio dianc. Dim hi hefyd. Fedrai hi ddim rhedeg i ffwrdd oddi wrth rhywun a oedd yn ei charu hi.

Stopiodd Lara ac edrych ar y seicig. Doedd hi bellach ddim yn siŵr am be roedd hi'n sôn. Edrychodd arni gan glywed ei llais yn ei phen. Yn llenwi ei meddyliau, yn eco hir a pharhaus yn ei hymennydd. Fedrai hi ddim dal i frifo ei hun am byth. Gafaelodd y seicig yn ei garddwrn a hithau'n griddfan wrth i'r graith ddiweddar ei brathu. Ai hyn oedd hi? Heriodd y seicig hi gan chwalu llenfuriau ei chastell fel petaen nhw wedi'u gwneud o dywod. Roedd yn gwegian o dan wewyr ei chyfrinach.

Wrth dagu'r geiriau yn ei gwddw, penderfynodd Lara ffoi. Trodd a rhedeg am amddiffynfa gyfarwydd y castell gan obeithio bod mwy o nerth yn ei choesau ifanc nag yng nghoesau'r seicig. Ond daliai honno i'w dilyn. Teimlai'n wan, a thrymder ei stumog yn pigo dagrau yn ei llygaid. Dagrau a fu ynghrog ers blynyddoedd.

Ond stopiodd yn stond wrth iddi weld cysgod yn neidio oddi ar y twr.

Cysgod a oedd yno am eiliad, cyn diflannu'n ddim. Neu ai dychmygu oedd hi? Cysgod o'i gorffennol. Roedd popeth fel petai'n dal i fyny â hi. Y seicig, y cysgod. Y cysgod a oedd yn symbol mor derfynol o'r tabŵ na soniwyd amdano wedyn. Doedd neb eisiau trafod rhywbeth na ellid ei ddeall. Roedd y seicig fel ellyll yn ei rhyhuddo, yn ei phrocio'n ddiddiwedd. Pam 'sa ti 'di'i stopio hi? Pam 'sa ti 'di'i stopio hi rhag neidio? Pam 'sa ti 'di stopio dy fam?

Roedd cordiau hirbarhaus miwsig ei gorffennol yn plagio ei hymennydd pan welodd Lara lygaid y car yn taranu tuag ati. Trwy'i dagrau, dim ond tair llythyren a welodd hi ym mhelydrau'r haul: WFV. Y fi.

YR ALARCH DU

Mae'r castell yn dal i sefyll yn gadarn ac unionsyth ger y cei. Yn dal i ddisgwyl dychweliad brenin i'w gôl garegog. Mae'r slitiau saethu'n dal i sbecian, yn dal i warchod rhag rhyw rym annelwig. Mae o'n dal bron â gwlychu ei draed, ac eithrio'r lôn geir gul sy'n gwarchod ei gwaelodion. Y lôn nodedig honno lle y digwyddodd y ddamwain yn niwedd mis Tachwedd.

Gall llawer ddigwydd mewn un eiliad. Mae rhywun wastad eisiau trio deall a thrio egluro. Ond mae cof pobl wedi'i anharddu gan winwydd hyll na ellir eu torri weithiau, tydi? Mae dirgelwch yn medru crogi geiriau.

Ond mi welais i'r cyfan.

Mi welais i'r bachgen ar frig Tŵr yr Eryr yn byseddu'r gwynt rhwng ei fodiau, yn ymresymu â'i gysgod ei hun. Cyn iddo benderfynu nad oedd o eisiau cydymaith oes fel ei dad a gwthio'r cysgod du i lawr.

O'r bont, efo'r ferch, mi welais i'r cysgod du yn disgyn i lawr, yn urddasol ac yn heddychlon cyn iddi hithau benderfynu ymwrthod â bwganod ei gorffennol a gwthio'i chysgod hithau i ganol y lôn.

O'r car mi welais i'r gyrrwr meddw yn troi olwyn y car i osgoi'r cysgod yn y lôn, cyn i'r cysgod o'r nen lanio yn bendramwnwgl ar y ffenest. A finnau efo fo, yn gysgod hollbresennol o'i nos ddüaf ei hun wrth iddo golli pob rheolaeth a phlannu'r bonet yn y wal gerrig gan hyrddio'i hun i'w farwolaeth. Wrth ymyl y castell godidog, mi welais i'r gwarchae'n dod i ben. A gêm wyddbwyll olaf y tad a'r mab yn *checkmate* yn y cei.

Dim ond un corff a dynnwyd o'r dŵr: John.

*

Mi welais i'r ddau ohonyn nhw wedyn – Mathew a Lara – rai misoedd yn ddiweddarach, yn eistedd ar wal y cei yn edrych ar ffotograffau di-rif o'r gorffennol. Y ddau'n clymu eu dwylo, fel yr oedd amser wedi clymu'r ddau i'r un eiliad gyfrin. Roedd lluniau'r *contact sheets* yn cyrlio yn y gwynt a Mathew'n gwarafun nad oedd prin unrhyw ddelweddau i'w cael o'i dad, gan na fyddai o byth adra neu y fo fyddai y tu ôl i'r camera. A Lara'n ei atgoffa bod lluniau'r cof yn fwy o gysur i unrhyw blentyn yn ymaflyd â'i alar am riant annaliadwy. Mi welais y wên o ddealltwriaeth rhyngddynt: y naill enaid yn gweld adlewyrchiad o artaith y llall. A mwy o blethu bysedd.

Hofran o'n i pan ddywedodd Lara wrtho am edrych ar un llun arbennig: y llun a oedd yn dweud mwy na mil o eiriau. Edrychodd y ddau ar un eiliad arall mewn du a gwyn. Astudiodd Mathew y gwddf hir, gosgeiddig, ac er ei fod yn llun di-liw roedd fy mhig coch fel minlliw trawiadol yn sgrechian o'r seliwloid.

Mi welais i Mathew'n gwenu ac yn dweud mai dyna'r ddelwedd harddaf a welsai erioed. Edrychodd ar gefn y llun a darllen ysgrifen ei dad, 'Fi a'r alarch du'. Gwasgodd y darlun yn reddfol at ei galon.

Weithiau, mewn un eiliad, am ryw reswm rhyfedd bydd pob dim yn gwneud synnwyr. Bron fel tasai gwreichionyn o ddealltwriaeth bur yn cael ei gyrru gan Dduw, gan isymwybod, gan y cosmos neu gan bwy bynnag sy'n trefnu bwrdd monocrom ein gêmau gwyddbwyll. Y du a'r gwyn sy'n asio'n llwyd diferllyd ynon ni i gyd. Mewn un eiliad, mae'r elfennau'n medru galfaneiddio. Mae marwolaeth yn medru uno pobl â'i gilydd am byth: uno a rhyddhau. Nes bod rhywun yn rhydd i hedfan. A rŵan 'dan ni'n dau wedi paru â'n gilydd am oes, fel dau alarch.